GMP
変更管理・技術移転

リスクベース評価と
申請の考え方

著 古澤 久仁彦

じほう

第2版の序に代えて

　2018年5月に旧版の『GMP変更管理・技術移転　―リスクベース評価と申請の考え方』を発刊して5年弱の月日を重ね，製薬企業を取り巻く環境も大きく変化し，GMP省令の改正や，PIC/S GMPガイドラインのアップデートなどが行われている。変更管理に関しては，大きなガイドラインへの直接的な追加はないが，その重要性がより周知されているところである。

　ここで，古典を引用したい『勝兵先勝而後戦，敗兵先戦而後求勝（勝兵は先ず勝ちて而（しか）る後に戦い，敗兵は先ず戦いて而る後に勝を求む）』。その意味は，『勝利する軍は勝利が確定してから戦い，敗北する軍は戦い始めてから勝利を追い求める』というものである。

　この文を読み替えてみると，『変更を確実にする製造所は，変更の成功が確定してから変更する。変更に躓く製造所は，変更を始めて，変更後の確実性を模索する』といえるのではないだろうか。

　この古典からも示唆されるように，変更を開始するために十分な科学的準備が必要である。また，変更管理の基本は何かと尋ねられるときの答えは，"変更しないことである"。

　つまり，GMP環境での医薬品製造は，その製造法の確立する前の十分な科学的検討が行われ，製造法はなるべく製造法は変更しないことが，肝要である。

　変更は常にリスクを伴うことであるため，そのリスクの回避は，第一に変更しない，しなくてよい堅牢な製造，品質システムを事前に構築することである。しかし変更は避けられないことが多々あるため，いかにリスクを低減して，品質への影響なく行うかが非常に重要になる。

　今回の改訂版では，GMP省令改正の内容や，ICH Q12についての記載などレギュレーションの変更点を追記したことに加え，世界的な製品回収を招いたニトロソアミン類不純物に関連する変更管理の不備例を盛り込んだ。読者が携わる業務の一助になれば幸いである。

2023年2月

古澤　久仁彦

目 次

序文

1章　各国当局が求めるリスクベース変更管理 —— 1

1 ICHにみられる変更管理の概念変化 —— 2
変更管理におけるリスクの考え方 —— 2
ICH Q9「品質リスクマネジメントに関するガイドライン」 —— 3
デザインスペースの設定 —— 7
品質マネジメントシステムの一環としての変更管理 —— 12

2 変更申請・手続き —— 14
変更手続きの分類 —— 14
最近の日本における変更管理 —— 15
医薬品リスク管理計画書の提出義務 —— 17
改正GMP省令とGMP事例集 —— 21

3 欧米における変更管理の原則 —— 27
欧米の基本的な考え方 —— 27
"計画的逸脱" について —— 30
変更管理委員会 —— 34
Quality Metrics —— 36
FDAにおける承認後の原薬の変更 —— 37
製造装置の変更に関するFDAの期待 —— 41
オーストラリアの軽微変更 —— 42

4 ICH Q12と承認後変更管理実施計画書 —— 43
ICH Q12ガイドライン —— 43
承認後変更管理実施計画書（PACMP） —— 43
PACMPに含まれる要素 —— 44
日本におけるPACMPの試行 —— 45
FDAによる制度 —— 45

2章 変更管理の手順と品質への影響評価 ----- 49

1 変更におけるリスク評価の基礎 ----- 50
リスクマネジメントの手法 ----- 50
リスクの大きさの評価 ----- 50
リスク見積もり用の基準 ----- 52

2 変更時に検討すべき事項 ----- 54
製造工程の変更 ----- 54
製造場所の変更 ----- 55
リスクレビュー ----- 56

3 リスクベースによる変更管理手順 ----- 57
変更のリスクとは ----- 57
変更の分類 ----- 57
リスクベースによる変更管理 ----- 59
手順変更のとき ----- 59
機器・装置変更のとき ----- 59
変更にはリスクがいっぱい ----- 60
変更申請の手順例 ----- 60

4 リスク評価の演習 ----- 63

5 リスクベース変更管理のSOP ----- 68
手順書例 ----- 68
記録様式例 ----- 75
変更申請の書き方例 ----- 78

3章 FDA warning letterおよび EMA non-compliance reportにみられる変更管理の不備 ----- 81

1 米国FDAの変更管理に関する考え方 ----- 82
規制上の要件 ----- 82

2 Warning letterおよび non-compliance reportの事例 ----- 85
品質部門の体制,文書管理等に不備があった例 ----- 85
製造部門で使用した出発物質,
工程管理試験記録等の変更・文書管理に不備があった例 ----- 87
品質試験室で試験法の変更が行われたが,
変更管理に不備があった例 ----- 88
工程変更における影響調査に不備があった例 ----- 90
供給者,原料の変更に際して,
影響調査(リスク分析)に不備があった例 ----- 91

CMOが変更時に委託者に連絡を怠った例 ———————————— 94
無菌医薬品製造所のGMP不適合 ———————————— 95
HVACの変更に伴う無菌操作の不備（483文書に記述の指摘例）———— 96

3 ニトロソアミン不純物混入問題に見る変更管理の不備 ———— 98
バルサルタンへの不純物混入事案の発端 ———————————— 98
EMAによる査察での指摘内容 ———————————————— 100
他の製造所への波及と当局の対応 ———————————————— 100
FDAのWarning Letter ————————————————————— 101
なぜ不純物が混入したか～変更管理の不備が一因に ——————— 106
NDMA，NDEAの交叉汚染　推定原因 ——————————— 107

4章　変更例とリスク ———————————————— 109

1 反応溶媒の変更 ————————————————————— 110
変更の概要 —————————————————————————— 110
変更によるリスク ——————————————————————— 111
規制当局への申請 ——————————————————————— 115

2 出発原材料を自社生産から購入品に変更 —————————— 116
変更の概要 —————————————————————————— 116
変更によるリスク ——————————————————————— 117
規制当局への申請 ——————————————————————— 121

3 新品溶媒から溶媒の再利用への変更 ———————————— 123
変更の概要 —————————————————————————— 123
変更によるリスク ——————————————————————— 123
規制当局への申請 ——————————————————————— 128

4 エステル化を酸触媒から酵素触媒に変更 —————————— 129
変更の概要 —————————————————————————— 129
変更のリスク ————————————————————————— 129
規制当局への申請 ——————————————————————— 134

5 棚式乾燥機を回転式乾燥機（コニカル乾燥機）に変更 ———— 135
変更の概要 —————————————————————————— 135
変更によるリスク ——————————————————————— 136
規制当局への申請 ——————————————————————— 140

6 主原材料の調達先を海外に変更 ——————————————— 141
変更の概要 —————————————————————————— 141
変更によるリスク ——————————————————————— 141
規制当局への申請 ——————————————————————— 143

7 汎用溶媒の購入先変更 ——————————————————— 144
変更の概要 —————————————————————————— 144
変更によるリスク ——————————————————————— 144

規制当局への申請 ································· 145

8 崩壊剤の変更 ································· **146**

変更の概要 ······································· 146
変更のリスク ····································· 146
規制当局への申請 ································· 147

9 製剤工程（処方，剤形等）の変更 ········· **148**

変更の概要 ······································· 148
変更によるリスク ································· 148
規制当局への申請 ································· 149

10 PE瓶をブリスター包装に変更 ··········· **152**

変更の概要 ······································· 152
変更によるリスク ································· 152
規制当局への申請 ································· 153

11 原薬包装容器をPE袋からアルミラミネート袋に変更 ········· **154**

変更の概要 ······································· 154
変更によるリスク ································· 154
規制当局への申請 ································· 155

12 試験法の変更 ······························· **157**

変更の概要 ······································· 157
確認試験をHPLC法からNIR法に変更する際のリスク ····· 157
微生物試験を委託する際のリスク ··············· 158
規制当局への申請 ································· 158

13 スケールアップ ··························· **159**

変更の概要 ······································· 159
10Kリットルスケールの培養槽を
200Kリットルの培養槽に変更する際の例 ········· 159
廃水設備の変更（増強）のリスク ··············· 161
規制当局への申請 ································· 161

5章 技術移転，導出 163

1 技術移転プロジェクトのポイント ········· **164**

技術移転は必ず行われる ························· 164
手順書 ··· 164
プロジェクト計画 ································· 165
異なる企業間での技術移転 ······················· 166
関連する部門 ····································· 167

2 各項目別：技術移転に際して必要となる情報 ········· **168**

出発物質 ··· 168
賦形剤・添加剤 ··································· 169

プロセスおよび医薬品に関する情報 ································ 170
バリデーション関連（計画書と報告書）························· 171
パッケージング・包装工程 ······································ 172
洗浄に関する情報 ·· 173
分析法に関する情報 ·· 174
移転先の施設および設備・機器の確認事項 ·················· 178

3 移転プロジェクトに必要なドキュメントの整備 ············ 180

技術移転要約報告書 ·· 180
具体的な技術移転の手順・文書作成に向けて ················ 181
技術移転のマスターバリデーションプラン（プロトコール） ·········· 182
バッチ要約報告書 ·· 183

4 海外CMOへの技術移転 ············ 185

変更の背景 ·· 185
変更によるリスク ·· 185

5 同じ敷地内の新工場への技術移転 ············ 189

変更の背景 ·· 189
変更によるリスク ·· 189

6 品質試験を外部に委託する ············ 192

変更の背景 ·· 192
変更によるリスク ·· 192

7 技術移転のケーススタディ ············ 196

ケース1 開発部門から技術部門への技術移転と打錠機の変更 ············ 196
ケース2 海外CMOへの委託に伴う製造技術移転 ············ 198
ケース3 包装工程を海外に委託 ············ 200
ケース4 分析法の移転① ············ 202
ケース5 分析法の移転② ············ 204

索引 ·· 207

1章

各国当局が求める
リスクベース変更管理

---

key note

変更管理にリスクベースの考え方を導入するにあたっては，ICH Q8，9，10，11ガイドラインの影響が大きい。医薬品品質保証の概念変化をもたらしたこれらガイドラインは，各国の規制当局の考え方を調和するものであり，品質活動の基盤となるものである。また，医薬品のライフサイクルマネジメントのガイドラインである Q12も，変更管理で重要な位置づけである。本章では，導入としてその変遷と各国における変更管理の制度などについて紹介する。

ICHにみられる変更管理の概念変化

 ## 変更管理におけるリスクの考え方

　GMPにおいて，変更管理について最初に記述されているのはICH Q7（原薬GMPのガイドライン）である。その記述は以下のとおりである（下線表示は筆者追記）。

ICH Q7　原薬GMPのガイドライン
13 変更管理
13.10 中間体・原薬の製造及び管理に影響を与えるおそれのある全ての変更を評価するために，正式な変更管理体制を確立すること。
13.11 原料，規格，分析法，設備，支援システム，装置（コンピュータハードウエアを含む），工程，表示・包装材料及びコンピュータソフトウエアに係る変更の確認，記録，適切な照査及び承認に関して文書による手順を設けること。
13.12 GMPに関連する変更に係る全ての提案は，適切な部署が起案し，照査し，承認し，さらに品質部門が照査し，承認すること。
13.13 提案された変更により起こり得る中間体・原薬の品質への影響を評価すること。バリデーションを既に行った工程に係る変更を正当化するために必要な試験，バリデーション及び文書化の程度を決定するために，レベル分けの手順は助けになる。変更の性質及び程度並びにこれらの変更が工程に与える影響により変更を分類する場合がある（例えば，小さな変更又は大きな変更）。なお，科学的判断に基づき，バリデーションを行った工程の変更を正当化するのに適切な追加の試験及びバリデーションの決定を行うこと。
13.14 承認を受けた変更を実施する場合，その変更によって影響を受けるすべての文書が確実に改定されるよう対策を講じること。

13.15 変更実施後，変更の下で製造又は試験を行った最初の複数ロットについて評価を行うこと。

13.16 設定したリテスト日又は使用期限について重要な工程変更により起こり得る影響を評価すること。必要な場合には，修正した工程により製造した中間体・原薬の検体を加速安定性試験や安定性モニタリングプログラムに供する。

13.17 設定した製造手順及び工程管理手順からの変更が原薬の品質に影響を与えるおそれがある場合には，現在製剤を製造している製造業者にその旨を通知すること。

　ICH Q7は2001年11月2日に，『原薬の品質確保については，医薬品及び医薬部外品の製造管理及び品質管理規則（平成11年厚生省令第16号。以下「GMP規則」という。），医薬品及び医薬部外品の輸入販売管理及び品質管理規則（平成11年厚生省令第62号）及び薬局等構造設備規則（昭和36年厚生省令第2号）が定められているところであるが，今般，日米EU医薬品規制調和国際会議における合意に基づき，別添のとおり，「原薬GMPのガイドライン」（以下「本ガイドライン」という。）をとりまとめたので通知する。』として，日本国内において発出された。

　この時点では，ICH Q8, 9, 10, 11はまだドラフトあるいは議論前の段階であり，変更管理にリスク管理の概念は含まれていなかった。

　変更起案部門が変更申請を準備，品質部門が変更申請を照査，変更開始を承認，変更による品質への影響調査を行うことなどの手順をQ7は示しているが，変更の持つリスクを事前に調査すること，リスクが大きな場合，リスクを低減するといったことは規定されていなかった。

　変更管理のみならず，逸脱処理，品質システム等でも，リスク管理の考え方は薄かった。しかし，1990年代にすでに食品業界では，危害分析（HACCP）手法で，食品製造工程に潜む危害（リスク）要因を事前に評価して，危害（リスク）要因を除く，あるいは減ずることが求められていた。その後，ICH Q9, EU GMP Annex20で，リスクアセスメント・リスクマネジメントが医薬品製造で要求されるところとなった。

ICH Q9「品質リスクマネジメントに関するガイドライン」

　2006年9月1日に「品質リスクマネジメントに関するガイドライン」（薬食審査発第0901004号，薬食監麻発第0901005号）の通知にて"品質リスクマネジメント"に関するガイドラインが公表された。ここで変更管理についても触れられている（以下，引用文中の下線表示は筆者追記）。

付属書Ⅱ：品質リスクマネジメントの潜在用途

定期的なレビュー

製品品質の照査の中で，データの経時的結果を選び，評価，解釈する。
モニターした（再バリデーションやサンプリング方法変更のための評価の元となる）データを判断する。

変更マネジメント／変更管理

製剤開発研究と製造の過程で蓄積された知識や情報に基づいた変更を運用管理する。その変更が最終製品の安定供給に及ぼす影響を評価する。
施設，装置，材料，製造工程の変更や，技術移転が製品品質に及ぼす影響を評価する。変更の実施に先立って行われるべき適切な対応策（追加試験，（再）適格性評価，（再）バリデーション，規制当局とのコミュニケーション等）を決める。

4 一般的な品質リスクマネジメントプロセス

4.6 リスクレビュー

リスクマネジメントは，品質マネジメントプロセスの継続的な一部であるべきであり，事象のレビューや監視のための仕組みを働かせるべきである。
リスクマネジメントプロセスのアウトプット／結果は，新しい知見や経験に基づいて見直すべきである。一度，品質リスクマネジメントを開始した後は，もともとの品質リスクマネジメントの決定を左右する恐れのある事象に対しては，そのリスクマネジメントプロセスを継続して活用するべきである。なお，これら事象には計画されたもの（製品レビュー，査察，監査，変更管理の結果等）も計画されていないもの（不良調査や回収で判明した根本原因等）も含まれる。見直す頻度はリスクの程度に応じるべきである。リスクレビューは，リスク受容決定の再検討を含む場合もある（第4.4節参照）。

　なおICH Q9は，2023年1月18日付で改正版のICH Q9（R1）がステップ4に到達し，ICHのWEBサイトで公開されているが，上記の記載については変更はない。
　また，2010年2月19日には，「医薬品品質システムに関するガイドラインについて」（薬食審査発0219第1号，薬食監麻発0219第1号）が通知され，ICH Q10「医薬品品質システムに関するガイドライン」が公表された。このガイドラインにおいて，変更に関してリスク評価が求められる記述がなされている。

1.7 設計及び内容に関する考慮点

(c) 新規の医薬品品質システムを開発し，又は既存のシステムを変更する場合は，当該企業の活動の規模及び複雑さが考慮に入れられなければならない。医薬品品質システムの設計は，適切なリスクマネジメントの原則を取り入れなければならない。医薬品品質システムのある側面は全社的であり，また，他の側面は製造サイトに特異的であるものの，医薬品品質システムが実効的であることは，通常は製造サイトレベルで実証されるものである。

ICH Q10では，医薬品ライフサイクルの各段階におけるリスク分析・評価を行うことを求めている。従来，リスク分析・評価は，製造管理・品質管理に対して行われていたが，ICH Q10では，研究開発の初期段階から製品としての寿命が終わるまでのライフサイクルのすべてにわたり，変更を行う場合，リスク分析・評価が要求されている。特に製品設計，変更において，検出されたリスクの低減が求められる。

2.8 製品所有権における変更の管理

製品所有権を変更する（たとえば，買収を通じて）場合，経営陣はこの複雑性を考慮し，以下のことを確実なものとしなければならない：

(a) 関与する各企業に関して継続する責任が規定されていること：

(b) 必要な情報が移管されていること。

製薬業界で事業のリストラ（「Restructuring（リストラクチャリング）」の略語で，本来の意味 は「再構築」である）が全世界的に進行していることはよく知られている。日々，巨大製薬企業による買収，事業・製品群の交換などが話題になっているが，それ以上に，世界的な中小の医薬品・原薬製造所の閉鎖，所有者の変更が起こり，また進行しているのが現状である。

このような所有権の変更という重大（クリティカル）状況に対して，変更後の品質・安全性に疑念が生じる。これに対してICH Q10では，上記の要求項を発表している。この背景には，Restructuringで製造所・医薬品の所有者が変更された後において，品質システム，製造システムが変更されることが非常に多く，品質・安全性（特に不純物プロファイル）・安定供給に影響が出たことがまま見られることがあるためである。

ここでは，製薬企業のトップマネジメントを含めた経営層が，ICH Q10「2. 経営陣の責任」を再度認識・確認することが求められる。

また，ICH Q10では，以下のように変更マネジメントシステムについて具体的に要求されており，"デザインスペース"との関係も記載されている。

3.2.3 変更マネジメントシステム

イノベーション，継続的改善，製造プロセスの稼働性能及び製品品質のモニタリングのアウトプット及びCAPAは変更を推進する。これらの変更を適切に評価し，承認し，及び実施するために，企業は実効的な変更マネジメントシステムを有さなければならない。一般的に，最初の薬事申請以前と，薬事申請への変更が各極の要件下で求められることがある薬事申請後とでは，変更マネジメントプロセスの正式さに相違がある。

変更マネジメントシステムは，継続的改善が適時，有効に行われることを確実にする。それは，変更により意図しない結果にならないことを高度に保証しなければならない。

変更マネジメントシステムは，必要に応じライフサイクルの各段階について以下のことを含まなければならない：

（a）品質リスクマネジメントが提案された変更を評価するために利用されなければならない。評価の労力及び正式さのレベルはリスクのレベルと相応しなければならない；

（b）提案された変更は，確立されている場合はデザインスペース並びに／又は最新の製品及び製造工程の理解を含め，承認事項との関連において評価されなければならない。薬事申請への変更が各極の要件下で求められているかを決定するための評価を行わなければならない。ICH Q8で記述されているように，デザインスペース内での作業は（薬事申請内容の観点からは）変更とはみなされない。しかしながら，医薬品品質システムの見地からは，すべての変更は企業の変更マネジメントシステムにより評価されなければならない；

（c）提案された変更は，変更が技術的に正当化されることを保証するために，関連する分野（例：医薬品開発，製造，品質，薬事及び医事）から，適切な専門技術及び知識で貢献する専門家チームにより評価されなければならない。提案された変更に対する予測的評価基準が定められなければならない；

（d）変更が実施された後に，変更目的が達成されたこと及び製品品質へ悪影響のないことを確認するため，変更の評価が実施されなければならない。

さらに，2014年7月10日には，ICH Q11「原薬の開発と製造（化学薬品及びバイオテクノロジー応用医薬品／生物起源由来医薬品）ガイドライン」（薬食審査発0710第9号）が発出された。この中で，以下のように"デザインスペース"について触れられている。

3.1.6 デザインスペース

デザインスペースは，品質を保証することが立証されてきた入力変数（たとえば，物質特性）と工程パラメータとの多次元的な組み合わせと相互作用である。このデザインスペース内で運用することは，変更とはみなされない。デザインスペース外への移動は変更とみなされ，通常は承認事項一部変更のための規制手続きを開始することになる。デザインスペースは申請者が提案し，規制当局がその評価を行って承認する（ICH Q8）。

11. 用語

デザインスペース：
品質を確保することが立証されている入力変数（原料の性質など）と工程パラメータの多元的な組み合わせと相互作用。このデザインスペース内で運用することは変更とはみなされない。デザインスペース外への移動は変更とみなされ，通常は承認事項一部変更のための規制手続きが開始されることになる。デザインスペースは申請者が提案し，規制当局がその評価を行って承認する。（ICH Q8）

　ICH Q8, 9, 10, 11のガイドラインは，従来の医薬品の製造上の原則に対して，新風を吹き込んだ。特にデザインスペースに代表されるように製造工程，製造管理に自由度を持たせることが導入されたことは特筆すべき点であろう。そして，変更管理の自由度が格段に増加した。具体的には，あらかじめ検証（バリデート）された製造管理幅，デザインスペース内の条件値であれば，工程管理値を変更しても変更管理の必要性には当たらない。このことで，医薬品製造の設計で，管理条件を幅広く設定する，つまり自由度，デザインスペースを認めたことになり，従来の固定された製造条件での製造管理は旧式になった。さらに，医薬品製造の設計時に，積極的にデザインスペースの考えを取り入れて工程管理を行い，最終医薬品・原薬の最終工程での規格適合性を要求するのではなく，各工程の工程管理値を合わせることでより確実に要求品質に適合する医薬品・原薬をつくることを意図している。この場合も，前述した変更管理が不要となる。

　従来の概念からすると，管理・記録なしに変更管理が行われているようにも見えるが，実際は事前に多くの検討がなされてはじめてデザインスペースが認められる。

デザインスペースの設定

　デザインスペースの設定には，リスクマネジメントの考え方に基づく，以下の事項が求められる。

- すでに得られている知識と，製品および製造プロセスに関連する経験に基づいたリ

スクアセスメント。
- 知識にギャップが生じた場合はさらなる実験を行い，ギャップを最小にする。
- リスクレベルの割付けについて，適切な方法で妥当性を立証しなければならない。
● リスクアセスメント／コントロールは，関連する新しい情報が得られるたびに繰り返され，最小に維持されるようにする。
- リスクアセスメント／コントロールの繰り返しを終えるには，リスクが許容レベルにまで低減されたことを示す必要がある。

デザインスペースは一般に小スケールで開発されるため，実際の管理戦略がデザインスペースの開発および実施後の潜在的な残留リスクの管理に役立つ。この管理戦略は，デザインスペース内で選択した操作の設定値に関連する残留リスクの管理に役立つが，デザインスペースの境界付近で工程を操作する場合は，通常の工程の変動（一般的な原因による変動）によって，デザインスペースからの逸脱リスクが上昇することがあることを覚えておいていただきたい。

変更（工程，装置，原料の供給元など）を行った場合，リスクレビューの結果から，変更後のデザインスペース，および関連の製造工程の継続的な使用の適否を検証し得る追加の実験および／あるいは試験に関する情報が得られる。

ICH Q8（R2）では，「工程パラメータのうち，その変動が重要品質特性（CQA）に影響を及ぼすもの」とされている。したがって，工程パラメータのクリティカリティは変わり得るが，そのパラメータが重要工程パラメータであることには変わりない。

規制の柔軟性（フレキシビリティ）を得ることを第一目的として，QbDアプローチを採用するケースが増えつつある。リスクマネジメントを行い，リスクに基づいてCPPをnon-critical PPと位置づけることにより，承認申請書にパラメータを記載しない，といったケースである。つまり，承認申請書に記載するパラメータをできるだけ省略するために，リスクアセスメントを繰り返すケースもみられる。

Point

QbDとは

事前目標設定に始まり，製品および工程理解ならびに工程管理に重点をおいた，立証された科学および品質リスクマネジメントに基づく体系的な開発手法のこと。

さらに，事務連絡『ICH品質に関するガイドライン実施作業部会留意事項「ICH によって承認されたICH Q8/Q9/Q10の実施に関する指針」の改定について』が2013年2月1日に発出され，変更管理に関して以下のような記載がなされている。

第3章 管理戦略

管理戦略の変更マネジメント：

• すべての変更が伝達され，管理されるのを確実にするため，外部委託作業には注意を払うべきである。

・変更の種類に応じた規制上の手続きについては，各極の規制要件に従って対応するべきである。

第4章 より進んだ手法（QbD）での製造販売承認申請における資料の程度

4.3. 製造工程の記述

規制当局に提出する資料の作成にあたって，申請者は以下の点を考慮すべきである。

• 製造工程の記述における詳細さの程度に関する各極の規制要件。

• 提案したデザインスペース（検討した重要パラメータ及びその他のパラメータを含む）と管理戦略の開発におけるその役割の記述。

• 各極の規制要件に従って管理されるべき製造の変更。該当する場合，申請者は，各極の規制要件に基づいた承認後の製造変更を管理するための承認後変更マネジメント計画又は実施計画書の提出も考慮できる。

第6章デザインスペース

6.2. デザインスペースの検証及びスケールアップ

デザインスペース全体を実生産スケールで再構築する（DoEなど）必要はないが，商業生産の前に，デザインスペースが適切であることを最初に検証しなければならない。デザインスペースの検証をプロセスバリデーションと混同してはならない。しかしながら，スケールに依存するデザインスペースのパラメータの性能の検証試験を，プロセスバリデーションの一環として実施することが可能な場合もある。デザインスペースの検証には，スケールに依存するパラメータの影響を受けるCQAのモニタリング又は試験が含まれる。たとえば，製造サイト，スケール又は装置などの変更によって，デザインスペースの追加の検証が発生することがある。追加の検証は，通常，その変更がデザインスペースに及ぼす潜在的な影響に関して実施するリスクアセスメントの結果に従って行われる。

リスクに基づく手法は，様々なスケールにわたるデザインスペースの妥当性を評価するための適切な研究計画を決定するために適用することができる。シミュレーションモデルや装置のスケールアップ要因などの既に得られている知識及び第一原理は，スケールに依存しないパラメータを予測するために用いることができる。実験的研究がこれらの予測の検証に役立つことがある。

6.4. デザインスペースのライフサイクルマネジメント

製造時におけるデザインスペース実施に用いる管理戦略は，製造サイトの能力によって決まる。バッチ記録には，使用した管理戦略を反映させる。たとえば，工程パラメータ又はCQAの決定に数式を用いる場合は，バッチ記録に変数の入力値及び計算結果を記載する。

製造サイトへのデザインスペースの技術移転の一環として，また，ライフサイクルの全期間にわたって，デザインスペースの開発及び実施中に得られたデザインスペースの活用に関連する知識を，製造現場において，かつ，企業／製造サイトのPQSに従って，共有することが重要である。この知識には，リスクアセスメントの結果，既に得られている知識に基づく仮定，及び統計学的な計画の考察が含まれる場合がある。デザインスペース，管理戦略，CQA及びQTPPの関連性は，この知識共有の重要な要素である。

各企業は，デザインスペースを用いた製造実績を通じて得られた追加データをはじめとするデザインスペースに関する情報及びデザインスペース内の移動を把握するために用いる手法を，企業・製造所のPQSに従って決定することができる。承認されたデザインスペースに対して変更を行う場合は，各極の規制要件を満たすように適切な申請を行わなければならない。ICH Q8（R2）の用語に定義されているように，承認されたデザインスペース内での移動は，薬事規制上の承認申請は要求されない。デザインスペース外への移動については，リスクアセスメントの利用が，品質，安全性及び有効性に対する変更の影響，並びに各極の要件に従った適切な承認申請戦略の判断に役立つであろう。

第7章プロセスバリデーション／継続的工程確認

7.2. 継続的工程確認（CPV）

ICH Q8（R2）には，CPVを製造工程の稼働性能の継続的なモニタリング及び評価を含むプロセスバリデーション手法として記述している。プロセスバリデーション実施計画書では，初回及び継続的な商業生産にCPVを用いることができる。また，CPVによって製造工程変更の評価が容易になる。

CPVによって工程の変動及び管理に関して実質的により多くの情報が得られる場合，CPVによって製造工程の評価を深めることができる。

CPVは，従来のプロセスバリデーション手法とあわせて，工程全体又は工程の一部に適用することができる。

一般に，初回のプロセスバリデーションについては，CPVはより進んだ開発手法が適用された場合により適している。しかしながら，工程に関する広範な知識が商業生産の実績を通じて得られた場合にも用いることができる。

CPVは，工程の稼働性能を評価するために，インライン，オンライン又はアットラインのモニタリング又は管理を利用できる。これらは製品や工程に関する知識及び理解に基

づくものである。工程を調整して製品の品質を維持するために，モニタリングをフィードバックのループと組み合わせることもできる。また，この組合せができることにより，プロセスバリデーションの基本的な目的であるバッチ内の均一性がより高度に保証されるという利点ももたらされる。RTRTを支援するある種の工程の測定手法及び管理もまた，CPVの役割を果たす可能性がある。

CPVには以下のような利点がある：

• 初回の実生産スケールのバリデーション用の数バッチだけではなく，多数の，又はすべてのバッチの製品品質をより高度に保証する。

• 頑健な工程の稼働性能及び製品品質モニタリングシステムの基盤を提供し，これによって，製品や工程に関する知識が増大し，工程や製品品質の継続的改善の機会が促進される。

• 製造関連の問題及び工程の変動傾向の早期発見を可能にする。

• 変更の影響を直ちにフィードバックし，それによって変更の管理を促進する。

• CPVによってより多くのデータが得られることで，日常のモニタリング及びトレンド解析の統計学的な信頼性が向上し，日常管理の状況がより高度に保証される

• 特に連続製造工程の評価に適する。

• CPVを活用すれば，製品のライフサイクルにわたってデザインスペースの検証に寄与する。

7.3. 医薬品品質システム（PQS）

PQSは，製品ライフサイクルの各段階の連携を強化し，それによってプロセスバリデーションのライフサイクルアプローチを促進する。工程の稼働性能及び製品品質モニタリングから得られたデータ，情報及び知識は，ICH Q10に記述されているとおり，ライフサイクルにわたるバリデーション手法及び製品品質や工程の継続的改善を支援する。

品質リスクマネジメントは，PQSの達成のための手法として，以下のようにプロセスバリデーションに寄与する：

• リスクアセスメントツールは，プロセスバリデーション実施計画の策定において有用である。また，変更による影響の評価にも有用となり得る。

• 統計学的ツールは，管理された状態を保証するため，工程の稼働性能のモニタリング及びトレンド解析を支援する。

プロセスバリデーションの手法にかかわらず，コンピュータ化システム及び管理方法を含めて，装置及び施設は，GMPの要求のとおり，適格性を適切に確認されなければならない。同様に，プロセスバリデーション活動に関与する者は，適切に教育訓練を受け，資格要件を満たさなければならない。

品質マネジメントシステムの一環としての変更管理

ICH Q9ブリーフィング・パックⅡ,「付属書Ⅱ:品質リスクマネジメントの潜在用途」で,品質マネジメントシステムの一環として変更管理を以下のように定義付けている(図1-1)。

II.1:統合された品質マネジメントの一環としてのQRM

• 変更マネジメント／変更管理

> 医薬品の開発過程及び製造において蓄積された知識及び情報に基づいて変更を管理する
> 変更による最終製品の安定供給に及ぼす影響を評価する
> 変更による製品の品質に対する影響を評価する
> 変更を実施する前に適切な措置を決定する

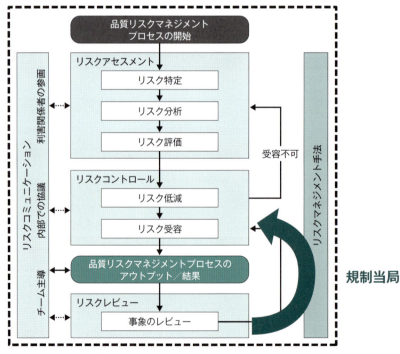

図1-1　リスク管理(ICH Q9 ブリーフィング・パックより引用)

さらに，承認後に申請した変更管理に関しては，規制当局も品質リスクマネジメント（QRM）の手法で審査を行うことを定めている。

II.2：規制当局の業務活動の一環としてのQRM査察及び審査業務

• 査察後の規制当局の事後処理の種類や妥当性を定める

• 企業から提出された製剤開発情報を含む情報を評価する

• 提案された承認変更や変更による影響を評価する

• コミュニケートすべきリスクの特定

> 査察官と審査官の間のコミュニケーション

• 更なる理解の促進

> リスクをどのようにコントロールすることができるか，又はどのようにコントロールされているか（たとえば，パラメトリックリリース，プロセス解析工学（PAT）など）

変更申請・手続き

変更手続きの分類

　前節の内容をまとめると，従来のGMP/QMSでの変更管理（ICH Q7）では，品質部門が照査，調査，承認することで変更を認めてきたが，その後発行されたICH Q8，9，10，11等の変遷により，現在では製薬企業，規制当局ともに，承認後の変更管理を品質リスクマネジメント（QRM）の手法によって行うようになった。

　その中にはデザインスペースの考え方も取り入れ，変更が決してリスクを増大することのないようにバリデーションを通して検証していくことを勧めている。

　ここに至って，リスクベースの変更管理が有効な手段として認知され始めた。日本，米国，欧州での変更申請の分類を**表1-1**に示す。

表1-1　3極での変更申請

変更の影響	日本	米国	EU
大	一部変更承認申請 変更前の事前承認申請	Major change (Prior approval supplement)	Type II variation (Application for approval of variation)
中	軽微変更届出 変更又は出荷後30日以内の届出	Moderate change 1) Supplementchanges being effected (CBE) in 30 days	Type IB variation
		2) Supplementchanges being effected (CBE)	Type IA$_{IN}$ variation
小	承認書に記載しなくてもよい	Minor change (Annual report)	Type IA variation
		Not reported	Not reported

（ICH Q12「医薬品のライフサイクルマネジメント（等）」説明会資料より引用）

　基本的には，各国とも変更する内容が承認事項，品質，安全性に重大な影響がある（リスクがある）場合は，重大な変更と分類され，その変更実施前の申請と，規制当局の承認を必要としている。いわゆるリスクが低い変更（品質，安全性に影響がないもしくはわずか）である場合は，軽微な変更と分類され，変更後の届出手続きが認められている。

具体的なリスクの大きさ評価例は，表1-2のようになる。

表1-2　変更の分類（例）

分類	重大		軽微	
原薬に関する変更	承認書またはマスターファイルの記載内容の重大な変更	製造業者の変更	製造装置の更新	製造業者名変更
			製造装置，重要工程外の製造条件の変更	納入形態の変更（サイズ変更等）
		粒子径，粘度等で社内基準の変更		主成分の名称（一般名・商品名等）変更
原薬以外の原料に関する変更	承認書記載内容に関わる製造方法の変更	製造業者の変更	製造装置の更新	製造業者名変更
		製造方法の変更	重要でない製造方法の変更	納入形態の変更（サイズ変更等）
	分量，組成の変更	グレードの変更（型番等）	製造装置，重要工程外の製造条件の変更	原料の名称（一般・商品名等）変更
直接容器の変更	承認書にない材質，包装形態の変更	容器の形状の変更	製造業者の変更	製造業者名変更
		厚みの変更		
	安定性に影響を及ぼす可能性のある変更	材質のグレード変更	製造場所・製造設備の変更	納入形態の変更

　特に欧米では，変更の重大性はリスクに基づいて評価される。同様のリスク分類に関して，日本においても一部変更申請を行う際，医薬品リスク管理計画の提出が求められる。この管理計画は，リスク分析，評価，低減策等を含むものである。

Point

　3極で届出・報告の方法が異なるため，海外の製造所・製薬企業では，軽微な変更（品質・安全性へのリスクがない，あるいはわずかである変更）に関して，随時その変更を国内のDMF代理人，委託主に知らせないことが起きている。所在地の規制当局に対して，軽微変更は年次で一括して報告する場合，同様に日本の代理人・委託主にも同じ基準・手順にて報告するからである。この点は注意が必要である。

最近の日本における変更管理

　軽微変更届出の連絡の遅延・一括報告を避けるため（リスク低減のため），海外の製造所・製薬企業の変更管理の手順書を照査して，「軽微変更は年次で一括して報告する」という手順になっているようであれば，海外の製造所・製薬企業との間で締結する品質契約に，「随時，軽微な変更を国内のDMF代理人，委託主に知らせる」規定を設けることが対策となる。近年，日本においても，軽微な変更届出，"ついでの変更"が認められるよう変化している。

個別に通知等で規定されている，いわゆる「ついでの変更」とされている事項例

●平成28年3月31日付け　薬生審査発0331第1号

「第十七改正日本薬局方の制定に伴う医薬品製造販売承認申請等の取扱いについて」の記4.新規収載された医薬品（成分）を含有する既承認の医薬品，医薬部外品及び化粧品（以下，「医薬品等」という。）（製剤（ただし，新薬局方に収載されている製剤は除く））の取扱いについて（下記5.を除く。）

(1) 当該医薬品（成分）を含有する製剤の「成分及び分量又は本質」欄の規格を日本薬局方に改める場合の取扱い

「成分及び分量又は本質」欄において，当該医薬品（成分）の規格を日本薬局方に改めるのみの一変申請または軽微変更届出を行う必要はなく，他の理由により，一変申請又は軽微変更届出を行う機会があるときに併せて変更することで差し支えないこと。

●平成18年12月14日付け　厚生労働省医薬食品局審査管理課事務連絡

「医薬品等の承認申請等に関する質疑応答集（Q&A）について」のQA24

Q24　市町村合併等により製造所の所在地の表記が変更になった場合，軽微変更届出が必要か。

A24　製造所の所在地の表記を改めるのみの軽微変更届出は必要ない。記載整備届出又は他の理由による一部変更承認申請若しくは軽微変更届出を行う機会があるときに併せて変更することで差し支えない。

●平成18年12月14日付け　厚生労働省医薬食品局審査管理課事務連絡

「医薬品等の承認申請等に関する質疑応答集（Q&A）について」のQA26

Q26　承認書に記載されている製造所の許可（又は認定）年月日は，更新される度に変更しなければならないか。

A26　記載整備届出又は他の理由により一部変更承認申請又は軽微変更届出を行う機会があるときに併せて変更することで差し支えない。ただし，製造販売業者として常に最新の製造所情報を得ておくこと。

医薬品リスク管理計画書の提出義務

　日本では，医薬品安全性監視計画のもと，承認事項一部変更（一変）申請時に，安全性への影響が懸念される場合は"医薬品リスク管理計画書"（RMP）の提出が求められている。これには，ICH E2Eガイドラインに基づく，申請時もしくは一変時のリスク管理に関して，「医薬品リスク管理計画の策定について」（平成29年12月5日薬生薬審発1205第1号，薬生安発1205第1号，平成24年4月26日薬食審査発0426第2号薬食安発0426第1号を改正）に示されたリスク分析結果を含めることが求められる。

　2017年12月5日に発出され，2022年3月18日に改められた事務連絡「医薬品リスク管理計画に関する質疑応答集（Q&A）について」において，以下のようにその必要性が明記されている（下線表示は筆者追記）。

（一変申請時又は製造販売後の策定）
Q5　RMPを提出していない品目について，承認事項一部変更承認（以下「一変」という。）申請時以外で総合機構に新たにRMPを提出する必要があるのはどのような場合か。また，その場合，提出時期等のスケジュールも含め，どのように手続きを進めればよいか。

A5　平成25年4月1日以降，製造販売後に新たな安全性の懸念の判明により，追加の活動を実施する場合等が該当する。<u>医薬品リスク管理計画書を新たに提出する必要があると考える場合には，新たに実施する追加の活動の実施時期及び医薬品リスク管理計画書の提出時期について，事前に総合機構に相談すること。</u>なお，総合機構は，提出された医薬品リスク管理計画書のうち，新たに実施する追加の活動に関する記載以外の部分については，提出から3か月以内に問題点の有無について連絡する。

　RMPは，新薬申請において提出が義務付けられていたが，今後は既存の医薬品の一変申請時に提出が求められるとの下記Q6に対する回答より，未・既承認の医薬品を問わず，リスク分析・評価を含めたリスク管理計画書の提出が求められる。

Q6　RMPを提出していない既承認の医薬品について，一変申請時にRMPの案を作成する場合，既承認の効能・効果等に関する内容については記載を省略してよいか。

A6　原則，RMPは一つの有効成分毎に作成されるものであることから，申請時にRMPの案を作成する場合は，既承認部分についても必要な内容を記載すること。

従来，GMP（製造）に関する変更の届出等は各社で準備され，変更によるリスク分析・評価がなされていた。この通達で求められるRMPの提出に関しての経験はあまりないのが現状である。

Q25　RMPの変更に当たっては，軽微な変更を除き，最新のRMPを総合機構に提出することとされているが，変更後のRMPはいつまでに提出すればよいか。また，提出すべき資料はなにか。

A25　変更する項目により，以下に従って提出すること。なお，いずれの場合においても，必要に応じ，事前に総合機構に相談されたい。
1.　安全性検討事項又は有効性に関する検討事項の追加・削除・変更が生じたとき：
変更した最新のRMPをすみやかに総合機構に提出すること。
2.　医薬品安全性監視活動又は有効性に関する調査・試験に関する項目
1）医薬品安全性監視活動又は有効性に関する調査・試験を新たに追加するとき：
当該活動又は調査・試験の開始予定時期の1か月前までに，変更した最新のRMPを総合機構に提出すること。
2）実施中の医薬品安全性監視活動又は有効性に関する調査・試験の内容を変更するとき（製造販売後調査等実施計画書を変更するときを含む。ただし，軽微な変更を除く。）：
当該活動又は調査・試験の内容に変更が生じる時期の1か月前までに，変更した最新のRMPを総合機構に提出すること。
3）医薬品安全性監視活動又は有効性に関する調査・試験が終了したとき：
当該活動又は調査・試験に係る結果を取り纏めた報告書を，市販直後調査の実施報告書，安全性定期報告書又はRMPに関する評価報告書として機構に提出した後，すみやかに変更した最新のRMPを総合機構に提出すること。
3.　リスク最小化活動に関する項目
1）リスク最小化活動を新たに追加するとき：

RMPを変更する前に総合機構に相談すること。

2）実施中のリスク最小化活動の内容を変更するとき（ただし，軽微な変更を除く。）：
重要な変更については，RMPを変更する前に総合機構に相談すること。それ以外については，変更した最新のRMPをすみやかに総合機構に提出すること。

3）リスク最小化活動が終了したとき：
変更した最新のRMPをすみやかに総合機構に提出すること。

なお，総合機構は，最新の医薬品リスク管理計画書の提出から1か月以内に問題点の有無について連絡する。

提出資料については，以下に従って提出すること。

• RMPの添付資料に変更が生じる場合には，本Q＆A19及び38のとおりRMPのみを先に提出した後に添付資料を遅れて提出する場合には，策定公表通知の別紙様式1の変更の履歴欄に変更内容の概略を記載するとともに，変更内容の詳細を明記した資料（新旧対照表等）及び変更した添付資料を合わせて提出すること。なお，必要に応じて，その他，添付資料に添付する資料についても変更内容の詳細を明記した資料の提出を求めることがある。

• 添付資料として提出済みの資料について，変更がなければ，RMPの変更の度に提出する必要はなく，その場合には，策定公表通知の別紙様式3における「添付資料」の「資料番号」項において提出済みと記載すること。

一変申請時に，安全性への影響が懸念される場合は，RMPの提出が求められているのに対して，軽微な変更では，RMPの提出が求められていない。このときの軽微な変更とは，"医薬品リスク管理計画の内容に実質的な影響を伴わない"と定義づけされている。届出義務での分類とほぼ同じように軽微変更は扱われている。

Q26　策定公表通知の別紙5.において「RMPの変更に当たっては，軽微な変更を除き，最新のRMPを総合機構に提出すること。」とされているが，提出を要さない「軽微な変更」とはどのような場合であるか。

A26　RMPの内容に実質的な影響を伴わない場合にのみ，「軽微な変更」に該当する。「軽微な変更」に該当する事例について，代表的な事例を以下に示す。「軽微な変更」の範囲について判断に迷う場合は，必要に応じ総合機構に相談すること。

1. RMPに係る変更
- 意味の変更を伴わない，誤記の修正又は用語の変更
- 承継を除く会社名のみの変更
- RMPの「品目の概要」欄における販売名のみの追加又は変更（例：剤形追加に伴う販売名の追加）
- 承認整理に伴う「品目の概要」欄における販売名のみの削除
- （承認前にRMPを提出した場合）RMPの「品目の概要」欄における承認時の追加情報（承認年月日，薬効分類，再審査期間，承認番号，国際誕生日，含量及び剤形，用法及び用量，効能又は効果，承認条件等）の追加又は変更。RMPの新規作成時に当該軽微変更を行う場合は，「変更の履歴」への変更内容の記載及び変更箇所への下線は不要である。一変承認により既存のRMPに変更が生じる品目で当該軽微変更を行う場合は，「変更の履歴」に一変承認による変更内容を記載し，変更箇所に下線を付すこと。
- （承継前にRMPを提出した場合）RMPの「品目の概要」欄における承継時の追加情報の追加，変更又は「備考」欄の承継予定である旨の削除。
- 市販直後調査実施報告書を総合機構で受理後の「2. 医薬品安全性監視計画の概要」及び「4. リスク最小化計画の概要」における市販直後調査に関する記載の削除並びに「5. 医薬品安全性監視計画，有効性に関する調査・試験の計画及びリスク最小化計画の一覧」における市販直後調査の「実施状況」欄の変更
- 製造販売後調査等の開始による，「5. 医薬品安全性監視計画，有効性に関する調査・試験の計画及びリスク最小化計画の一覧」の「実施状況」欄の変更（例：「○○から実施予定」から「実施中」への変更）

2. 追加の医薬品安全性監視活動及び有効性に関する調査・試験に係る製造販売後調査等の実施計画書に係る変更
- 意味の変更を伴わない，誤記の修正又は用語の変更
- 実施予定期間について，販売開始の延期による調査開始日の変更
- 予定する施設数の変更
- 調査票，実施要綱，登録票のレイアウトの変更（例：記載項目の位置の移動，記入欄の大きさの変更等）
- 業務を受託する者の氏名，住所及び委託する業務範囲の変更，追加及び削除
- 製造販売後調査等業務のための組織体制の変更
- 実施計画書における調査対象薬剤の販売名のみの追加又は変更（例：剤形追加に伴う販売名の追加）

3. 追加のリスク最小化活動に用いる資材等に係る変更
- 意味の変更を伴わない，誤記の修正又は用語の変更

- 内容及び強調の変更を伴わないデザインの変更（資材の大きさ，色調（文字色を除く），挿の変更等）
- 資材における対象薬剤の販売名のみの追加又は変更（例：剤形追加に伴う販売名の追加）

　　これらのRMPは，副作用，患者の安全性に特化した計画書である。安全性以外のリスク管理（品質にかかわる変更に関してのリスク管理）の計画書に関する日本でのガイダンス等はまだ発出されていない。

改正GMP省令とGMP事例集

　　近年，製薬企業によるGMP違反等の不正製造問題が数多く発生しており，その一因として適切な変更管理がなされていないということが指摘されている。厚生労働省は各製薬企業に，承認書に記載された内容と実際の製造方法との間に齟齬がないかの精査，点検を行うよう，2016年1月19日付けで「医薬品の製造販売承認書と製造実態に関する一斉点検」を指示した。また，齟齬が見つかった場合は変更申請，軽微変更届出を期限内に行うよう求めている。

　　2021年8月に改正されたGMP省令では，以下の通り承認事項の遵守について定められており，変更の際には製品品質および承認事項への影響について評価するよう明記されている。

（承認事項の遵守）

第三条の二　法第十四条第一項に規定する医薬品又は医薬部外品に係る製品の製造業者等は，当該製品を法第十四条第一項若しくは同条第十五項（法第十九条の二第五項において準用する場合を含む。以下この条において同じ。）又は法第十九条の二第一項の承認を受けた事項（以下「承認事項」という。）に従って製造しなければならない。ただし，法第十四条第十五項の軽微な変更を行う場合においては，同条第十六項（法第十九条の二第五項において準用する場合を含む。）の規定による届出が行われるまでの間は，この限りでない。

第十四条　製造業者等は，原料，資材若しくは製品の規格又は製造手順書等について変更を行う場合においては，あらかじめ指定した者に，手順書等に基づき，次に掲げる業務を行わせなければならない。

一　当該変更による製品品質及び承認事項への影響を評価すること。

四　前号の承認を受けて変更を行うに際して，関連する文書の改訂，職員の教育訓練その他所要の措置をとること。

2　前項の変更を行った製造業者等は，品質保証に係る業務を担当する組織に，手順書等に基づき，次に掲げる業務を行わせなければならない。

一　製品品質への影響を再確認し，当該変更の目的が達成されていることを確認するための評価を行うこと。

　　また，2022年に発出されたGMP事例集（2022年版）には，承認書との齟齬に関して下記のような問いが載せられている。

GMP3の2－1（承認事項の遵守）

［問］承認事項に従って製造するにあたり，どのようなことに留意する必要があるか。

［答］製造業者等は，当該製品の製造販売承認（届出）書の製造方法及び試験方法に関する情報を当該製品の製造販売業者より入手し，承認内容と製造実態に相違が生じないようにすること。なお，製造販売業者は，GQP省令第10条第5項の規定により，製造販売承認（届出）書の内容を含む，適正かつ円滑な製造管理及び品質に関する情報を，製造業者等に提供する必要があり，製造業者等としても，常に最新情報を入手できるよう製造販売業者と密接に連携すること。特に，製造販売承認時，製造販売承認事項一部変更承認及び製造販売承認事項に係る変更計画の確認（以下「一部変更承認等」という。）時並びに軽微変更届出時には確実に情報を入手すること。また，原薬等登録原簿（以下，「MF」という。）登録を受けている場合，製造販売業者とのMF利用契約に基づき，自らMF登録内容と製造実態に相違が生じないようにすること。具体的には，製造業者等は，最新のMF登録内容を把握し，MF登録内容へ影響を及ぼす又はそのおそれのある変更を行おうとする場合は，適切なタイミングで製造販売業者に連絡（製造販売業者との取決めによるMF国内管理人等を通じた連絡を含む。）し，製造販売業者の確認を得たうえで，変更を実施する必要がある。

　　GMP事例集（2022年版）では，変更に関連するQ&Aはおよそ20件余りになるが，答えはいずれも同様に，すべての変更は軽微変届，一変申請等適切に薬事手続きを行うことが必須であるとなっている。このことからも，承認書に記載された条項は，製造業者からの申請と当局の承認なしには変更できないことが改めて強調されており，適切な変更管理と薬事手続きを行わなければ，承認書と製造実態の齟齬が発生することにつなが

ることが強く懸念されている。以下に，GMP事例集（2022年版）からいくつか問いを抜粋する。

GMP3の3－13（医薬品品質システム）

［問］品質方針，品質目標，品質マニュアル等の変更といった，医薬品品質システムの変更を行う場合，GMP省令第14条に従う必要があるのか。

GMP5－4（製造管理者の業務の代行）

［問］製造管理者が出張，入院等のために不在となる場合に備えて代行者を置いてもよいか。

GMP7－8（規格及び試験方法）

［問］GMP省令第7条の医薬品製品標準書に，改正省令公布通知第3の10（3）①ア「製品及びその製造に使用する原料の成分（成分が不明なものにあってはその本質）及び分量並びに規格及び試験検査の方法」，イ「容器の規格及び試験検査の方法」又はエ「表示物（最終製品にあっては，販売名及び一般的名称，成分及び分量，用法及び用量，効能又は効果並びに使用上の注意又は取扱上の注意等の所要事項が記載されるもの）の規格及び仕様」として原料又は資材に関する規格及び試験検査の方法を記載するとき，当該原料又は資材について，それらの供給者から製造方法に関する情報を入手する必要性について示してほしい。

GMP7－10（規格及び試験方法）

［問］改正後の日本薬局方の一般試験法に合わせるために製造販売承認事項の一部を変更することが製剤の改良等になると判断される場合，GMP省令第7条の医薬品製品標準書に当該変更を反映し，承認当時の日本薬局方の一般試験法では不合格と判定されても当該変更後の試験方法により合格と判定されたとき合格としてもよいか。

GMP7－20（標準的仕込み量）

［問］製造工程におけるロス（バグフィルターからの原薬たる医薬品の抜け，集塵，設備への付着等）の増加等，製造過程における突発的な問題が生じた際，医薬品製品標準書において定められた標準的仕込み量から仕込み量を変更してよいか。

GMP7 – 22（標準的仕込み量）
［問］製造販売承認書の「成分及び分量又は本質」に「適量」と記載してある成分について，GMP省令第7条の医薬品製品標準書にはどのように記載すればよいか。

GMP7 – 23（標準的仕込み量）
［問］注射剤に係る製品の製造に係るGMP省令第7条の医薬品製品標準書において，pHを製造販売承認書の規格又は示性値の範囲内に保持するために，一般的に用いられているpH調節剤（塩酸，水酸化ナトリウム等）を新たに添加してもよいか。

GMP7 – 25（その他）
［問］製品標準書に「用法及び用量」及び「効能又は効果」記載する場合，製造販売承認（届出）書の写しを引用し添付することとしていることが多いが，この他添付文書を引用し添付することとしてもよいか。

GMP11 – 59（規格外結果）
［問］GMP省令第7条の医薬品製品標準書において，試験検査に係る規格を製造販売承認（届出）書に記載された規格よりも厳格なものを定めた場合，製品が当該規格を外れたとき，所要の措置として，当該製品の製造所からの出荷の可否の決定はどのように行えばよいか。

GMP13 – 66（変更時のバリデーション）
［問］品質再評価の対象となる品目に係る製品については，どのようにバリデーションを行えばよいか。

GMP13 – 67（変更時のバリデーション）
［問］変更時のバリデーションとして実施するプロセスバリデーションについて，ロット数に規定はあるか。類似製品等の製造条件をもとに1ロットの製造をもって検証することができるのであれば1ロットのみの製造でもよいか。

GMP13 – 68（変更時のバリデーション）
［問］原料，資材，手順，製造設備等が同じであって，ロットサイズのみを変更するとき，変更時のバリデーションを実施する必要があるか。

GMP14－1（変更の管理）

［問］製造所において製造場所，製造方法等の変更を行う場合，製造業者等として製造販売業者への連絡は必要か。

GMP14－2（変更の管理）

［問］変更管理において，承認事項への影響に関して留意すべき事項は何か。

GMP14－3（変更の管理）143

［問］変更管理において，製造販売業者への連絡及び確認に関して留意すべき事項について示してほしい。

GMP14－4（変更の管理）

［問］変更管理に関し留意すべき事項について示してほしい。

GMP14－5（変更の管理）

［問］GMP省令第14条第1項第5号において，「前各号の業務の実施状況を品質保証に係る業務を担当する組織及び製造管理者に対して文書により報告すること」とあるが，製造管理者にも品質保証に係る業務を担当する組織と同様に変更管理実施の都度，報告は必要か。

このように，多岐に渡って変更管理に関連する事項がGMP事例集に収載されたのは，再三にわたる承認書との離齬の点検にもかかわらず，承認書との離齬に起因する薬機法違反の事案が続くことからの当局の再度の警告ともうかがえる。

承認書に記載された内容，特に製造法において，プロセス管理が一点管理を採用しており，規格が経年のトレンドの変化で適合しない状況に陥っていたことで，離齬が生じることもあると言われている。

記載内容については，変更が生じた段階で遅延なく変更申請を行う，また実製造・規格と承認書の離齬は，念のために改めて照査して，離齬が見つかれば遅延なく届けることに尽きるが，従来の製造法を踏襲して承認書との離齬に気づいていない場合が多い。真摯に点検し，報告する以外の手段はない。

その解決に向けた留意点を以下に記載する。

①プロセス管理の一点管理法に代え，管理幅も持つ製造管理，パラメータの設定に変える。

②特にバッチサイズに関して，柔軟な製造のためにバッチサイズに幅を持たせた製造法を採用する。

③品質管理にPATの考え方を導入して柔軟性を持たせる。

④原材料に関して，供給者の複数化を図り，製造での原材料の選択肢を増やし，原材料の変更が発生しないように管理する。

3

欧米における変更管理の原則

 欧米の基本的な考え方

　EMAの変更管理の基本的な考え方としては，変更を決してマイナスの活動ではなく，ポジティブな活動であると考えている点であるように思う。

　変更に求められている手順は，ほぼ日本と同じである

- 当局の承認が必要と規定された重大な変更は，規制当局または監督当局の承認の前に実行されない。
- コンピュータソフトウェアなど間接的な影響を及ぼす変更を含め，製品の品質，患者の安全性への影響を評価せずには，変更は実行されない。
- 変更の重大さ，リスクに基づいて要求される事前のバリデーション，試験を行ったうえで変更は実行される。
- 変更管理は必ず文書化され保管される。
- 変更開始後，継続的にモニターする。

　EMAでは変更申請に関して，「30 March 2012 EMA/CHMP/CVMP/QWP/586330/2010 Committee for Medicinal Products for Human Use (CHMP) Questions and answers on post approval change management protocols」で，Q&Aとして詳しく解説しているので主要な部分を以下に紹介する。

4. What should be in the content of a post approval change management protocol?

In general, in order to support the proposed change, the company should submit all relevant information that can demonstrate that it has acquired adequate knowledge to prepare and manage the impact of the change.

The content of the protocol could include the following, depending on the nature of the change:

Justification that there is a recognised future need for the specific change within a reasonable timeframe and that adequate knowledge has been acquired to define criteria to appropriately evaluate and manage the change for the specific product concerned;

A detailed description of the proposed change. The differences with what is already approved should be clearly highlighted (preferably in a tabular format). Depending upon the nature of the change, it should be demonstrated, preferably with data from development or pilot scale studies, that the proposed approach is feasible. If only lab-scale data are provided the potential scale up effect should be discussed;

Risk assessment of the impact of the change on product quality. This should include identification of the potential risks and detailed strategy of how these risks will be mitigated or managed;

Discussion on the appropriateness of the approved control strategy to identify and manage these risks and, if required, description of the additional controls that might be needed to be put in place.

This should take into consideration the extent of the change and therefore the potential impact on the quality of the active substance and/or finished product, as appropriate;

Description of the studies to be performed, and the test methods and acceptance criteria that will be used to fully assess the effect of the proposed change on product quality. The applicant should justify the appropriateness of the methods proposed to assess the impact of the proposed change.

Data from development or pilot scale studies can provide assurance about the relevance and adequacy of the proposed tests;

意訳

4.承認後の変更管理プロトコールの内容には何が必要か？

一般に，提案された変更をサポートするために，製薬企業は変更の影響を管理するのに十分な知識を得ていることを示すことができるすべての関連情報を提出する必要がある。

プロトコールの内容には，変更の性質に応じて以下が含まれる。

・合理的な期間内に特定の変更の必要性が認識され，当該医薬品の変更を適切に評価し管理するための基準を定める適切な知識が得られたことの正当性。

・提案された変更の詳細な説明。既承認事項との差異は明確に表示すること（好ましくは表形式）。変更に応じて，開発またはパイロット規模の製造研究を行って，変更の妥当性を示すことのデータを用いて，提案された変更管理のアプローチが実行可能であることが示されるべきである。ラボ規模のデータのみが提供される場合，想定されるスケールアップ効果について議論すべきである。

・製品品質への影響のリスク評価。これには，潜在的リスクの特定と，これらのリスクの低減策または管理方法の詳細な戦略が含まれること。

・これらのリスクを分析・評価，管理するための管理戦略の立案，承認，その妥当性，必要に応じて追加の管理策の記述についての議論。これは，変更の程度に基づき原薬および／または医薬品の品質への潜在的な影響を適切に分析・評価することを考慮しなければならない。

・実施される検証研究の内容。提案された変更が製品品質に及ぼす影響を十分に評価するために使用される試験方法および合格基準。

申請者は，起案された変更の影響を評価するために，提案された方法の妥当性を正当化すること。開発またはパイロット規模の研究のデータは，提案された試験の妥当性とその保証を提供すること。

ここで定義されている変更の対象はそのほかに，

● 出発原材料（仕様，サプライヤを含む）

● 製品構成（ラベルおよび包装材料を含む）

● 製造機器・施設（コンピュータハードウェアおよびソフトウェアを含む）

● 製造・施設環境（設備，メディア，サポートシステム）

● 製造方法・製品の品質管理

● 医薬品の品質，安定生産に影響を与える変更

があげられる。

　これらの考え方は，変更管理プログラムを医薬品品質システムの必須要素と捉えているものである。たとえば，EU GMPガイドライン Annex15の用語集では，"変更管理"

を「適切な分野の有資格者が設備，システム，設備またはプロセスの有効性に影響を及ぼす可能性がある変更申請または実際の変更をレビューする正式なシステム」と定義している。またEU GMPガイドライン第5章では，この変更の取り扱いについて「製造プロセスの大幅な変更，製品の品質および／またはプロセスの再現性に影響を与える可能性のある機器または材料の変更を検証する」としている。

また，アメリカ連邦規則集（CFR）では，「変更管理」について次の2つの短い注記で定義している（21 CFR，211.100および21 CFR，211.160）。

● §211.100（書面による変更手続き）

(a)「製造された製品が承認された特性，力価，品質，純度を常に備えるように設計された生産管理およびプロセス管理の手順書が備えられていなければならない。その手順書にはGMPに求められるそれぞれのシステムが含まれている。その品質システムの1つである変更管理システムでは，GMP組織に含まれる部門が適切に変更申請書を立案して，品質部門，関連する部門がその申請書を照査，申請された変更が持つリスクを分析・評価して，低減策を準備しなければならない。そのような手続には，本サブパートのすべての要件が含まれるものとする。変更を含むこれらの手続は，適切な組織単位によって作成され，レビューされ，承認され，品質管理ユニットによってレビューされ，承認されなければならない」。

● §211.160（一般要求事項）

(a)「この制定された仕様書，基準書，サンプリング計画，試験手順，または他の実験室管理システムの変更を含む，本サブパートによって要求される仕様書，規格，サンプリング計画，試験手順，またはその他の品質試験管理は，適切な部門によって作成され，品質部門によって照査され承認される。変更管理は本サブパートの要件に従い，変更実施時にはすべての実施内容・手順を文書化しなければならない。仕様書，規格，サンプリング計画，試験手順，またはその他の品質試験管理の手順からの逸脱は記録され，調査され，適切に処理されなければならない」。

"計画的逸脱"について

かつては，計画的逸脱，仮の変更管理という手順が，医薬品製造所において用いられてきた。FDAを含め，規制当局はこのような計画的逸脱，仮の変更管理を公式に認めたことはなく，GMPのガイドラインにも記述がない手順である。またFDAの査察官は，この"計画的逸脱，仮の変更管理"は，企業が独自で行い，製薬業界で広まったに過ぎないと断言している。

公的に認められない手順が広まった背景には，ご都合主義で，製造法等を一時しのぎ

で変更することを目的にしたと考えられ，正式な変更管理を行うことを避けようとしたときの方便にも使用されたと考えられる。

　日本においても，計画的逸脱，仮の変更管理は，公式に認められた手順ではないので，注意が必要である。

　GMP事例集（2022年版）では，問7-20において，医薬品製造所が"計画的逸脱，仮の変更管理"として準備していた手順に基づいて行われていたと推察される変更管理も，正式な変更管理の手順を遵守することを求めている。

GMP7-20（標準的仕込み量）

［問］製造工程におけるロス（バグフィルターからの原薬たる医薬品の抜け，集塵，設備への付着等）の増加等，製造過程における突発的な問題が生じた際，医薬品製品標準書において定められた標準的仕込み量から仕込み量を変更してよいか。

［答］突発的な問題について，GMP省令第15条の規定に従って逸脱の管理を行うこと。逸脱の是正措置又は予防措置として，仕込み量を変更する場合には，当該変更はGMP省令第14条第1項第2号に示す製品品質若しくは承認事項に影響を及ぼす場合又はそのおそれがある場合に合致する可能性が高いことから，変更の際には一部変更承認申請（該当する場合には軽微な変更の届出）の必要性について製造販売業者に事前に連絡し，確認を受けること。

　EDQMにおいてもQ&Aの文書で，計画的逸脱，仮の変更管理を容認していないことを明記している。

EU GMP guide annexes: Supplementary requirements: Annex 16 (Updated May 2018)

Guidance on good manufacturing practice and good distribution practice: Questions and answers | European Medicines Agency (europa.eu)

In the context of handling unexpected deviations, what is included in the scope of registered specifications for medicinal products? / What is an 'unexpected' deviation? / Does Annex 16 permit QP certification of more than one batch affected by the same unexpected deviation?

In order to satisfy the criteria in Annex 16 section 3 for handling unexpected deviations, all registered specifications for active substances, excipients, packaging materials and medicinal products must be met.

Registered specifications for medicinal products include in-process, bulk and finished product specifications which have been included in the MA application.

The criticality of registered in-process specifications may vary depending on the quality attribute tested, the impact to subsequent manufacturing processes and ability to test the quality attribute in the finished product. It may therefore be possible to accept deviation from an in-process specification where risk assessment confirms that there is no impact to manufacturing process or product quality.

Non-compliance with registered specifications (except where excursions from in-process specifications can be accepted based on quality risk management principles) therefore fall outside the scope of Annex 16 section 3, and the QP would not be able to certify the affected batches under the Annex 16 provisions for handling unexpected deviations.

意訳

予期しない逸脱に対処するという意味で，医薬品の登録規格の範囲には何が含まれるか？／「予期しない」逸脱とは何か？／附属書16は，同じ予期しない逸脱の影響を受けた複数のバッチのQP認証を許可しているか？

附属書16第3項の予期しない逸脱の取り扱いに関する基準を満たすためには，原薬，賦形剤，包装材料，および製剤のすべての登録規格を満たす必要がある。

医薬品の登録規格には，製造工程内規格，バルク規格および最終製品規格が含まれており，これらはMA申請に含まれている。

登録された工程内規格の重要性は，試験された品質特性，その後の製造工程への影響および最終製品中の品質特性を試験する能力によって異なる可能性がある。したがって，リスクアセスメントにより製造工程や製品の品質に影響がないことが確認された場合には，工程内規格からの逸脱を受け入れることが可能なことがある。

登録された規格の不適合（ただし，品質リスクマネジメントの原則に基づいて工程内規格からの逸脱を受け入れることができる場合は除く）は，したがって，附属書16の第3項の適用範囲外であり，QPは，予期しない逸脱の取扱いについて，附属書16の規定に基づいて影響を受けるロットを認証することはできない。

What is an 'unexpected' deviation?

The process itself should be designed to comply with the registered requirements (fit for purpose). A deviation can be considered as 'unexpected' until the time of discovery. Where the relevant authorities have confirmed the need to avoid supply disruption, repeat deviations thereafter are no longer 'unexpected' but may be considered for QP certification and accepted while corrective and preventive action is in progress and where the provisions of Annex 16 paragraph 3.1 are met.

Planned deviations or deviations that are caused by incorrect communication between marketing authorisation holder (MAH) and manufacturers (e.g. if the MAH fails to notify the manufacturer of relevant changes to the MA) are outside the scope of the paragraph 3.1. The marketing authorisation holder should submit an application for a variation to the marketing authorisation, if needed.

意訳

「予期しない」逸脱とは何か?

プロセス自体は，登録された要件に適合するように設計されていなければならない。逸脱は，発見時まで「予期しない」ものとみなすことができる。

関係当局が供給途絶を回避する必要性を確認した場合，その後の繰り返される逸脱はもはや「予期しない」ものではなく，是正措置および予防措置が進行中であり，附属書16の3.1項の規定が満たされている場合には，QP認証を検討し，受諾することができる。

計画された逸脱，または販売承認取得者（MAH）と製造業者の間の不正確なコミュニケーションによって引き起こされる逸脱（たとえば，MAHがMAに関連する変更を製造業者に通知しない場合）は，3.1項の適用範囲外である。

製造販売業者は，必要に応じて変更の申請書を提出しなければならない。

Does Annex 16 permit QP certification of more than one batch affected by the same unexpected deviation?

If more than one batch has already been manufactured and/or tested at the time of discovery of the unexpected deviation, then it is acceptable to consider QP certification of all these batches under the provisions of Annex 16 section 3.
Following discovery, repeated deviations from the manufacturing process and/or analytical control methods should be considered changes, and variations to the affected marketing authorisations must be submitted. In exceptional circumstances to avoid disruption to supply, it may be possible to continue QP certification while corrective and preventive action is in progress; see Q&A on what is 'unexpected' deviation above.

意訳

附属書16は，同じ予期しない逸脱の影響を受けた複数のバッチのQP認証を許可しているか？

予期しない逸脱が発見された時点で，複数のバッチがすでに製造および／または試験されていた場合には，付属書16の第3項の規定に基づき，これらすべてのバッチのQP認証を考慮することが許容される。
発見後，製造工程および／または分析管理方法からの繰り返しの逸脱は変更とみなすべきであり，影響を受ける製造承認の変更を提出しなければならない。
供給の中断を避けるための例外的な状況では，是正措置および予防措置が進行中である間，QP認証を継続することが可能であろう（上述の「予期しない」逸脱とは何かに関するQ&Aを参照）。

変更管理委員会

　米国では，品質部門が変更の評価・検証と承認の責任を負うことになっているが，EUでは明確に決められていない。しかし，変更管理は医薬品品質システムの必須要素と考えられているため，変更管理プログラムに対する責任を品質保証責任者（品質保証部門代表，品質保証部門責任者など）が負うことは妥当と考えられている。

　変更管理は単純に部門別の業務ではなく，GMP組織全体の品質業務と考えるべきである。このことは，PIC/S GMP Annex15の記述，「リスクベース変更管理は，広範囲のGMPシステムを網羅すること」からも読み取れる。

この変更管理を有効かつ効果的に行うために，製薬企業は常設の変更管理委員会を設けて，個々の変更管理を集約することがよく行われる。

 Point

変更管理委員会とは

　変更管理プログラムとしての重要な機能は，変更管理委員会（変更管理チーム，変更管理委員）によって実行される。この常設委員会は，品質保証責任者が一般的に主催する。その他の委員は製造責任者，品質管理，販売，規制業務，情報担当者などから構成される。必要に応じて，さらに別の部門（研究開発，エンジニアリングなど）が参加することもある。委員会の任務は，変更を評価し，必要な措置を決定し，変更の影響を受ける部門のリスク低減措置を調整し，最終的に変更開始の承認を与えることである。

　特に変更管理システムの導入段階での大きな問題は，変更管理委員会が，申請されたどの変更に最初に取り組むかを決めることである。変更管理の処理能力面での理由から，この委員会はすべての変更に同時に対処できないことは明らかである。

　変更管理委員会は，GMP関連システム，設備，装置，材料／製品，または手順／プロセスの特性に影響を与える可能性のある変更を対象にすべきである。これら変更の影響は，製品の品質／プロセスの信頼性に関わるものであり，再バリデーション／再適格性検証や文書の編集／更新が必要な場合がある。

　変更管理委員会の業務範囲は広範であり，分類（重大・軽微）や変更の必要性が不明確で疑わしいすべての変更にも対処する必要がある。

　実際の課題として，変更管理委員会のメンバー同士が互いにどのようにコミュニケーションを取るかということ，すべての変更管理手続に，メンバー（部門責任者）が出席して審議，承認が必要であるかどうかという点は議論が必要である。すべての変更管理が緊急を要することはなく，全員参加が必要ではないはずである。このため，変更の承認，審議が容易な場合は，伝統的な紙ベースの回覧手続き，メールによる承認，またはイントラネットベースのフォームへの共通アクセスで，変更を照査，承認することで代行が可能となる。

　また，変更管理委員会を社内ネットワーク上で行うことに移行するのも，変更管理の進化版として認められると考える。

Quality Metrics

　変更管理委員会の活動は，FDAが製造所・製薬企業に提出を求めるQuality Metricsのデータ集計にも役立つと考える。

　製薬企業が変更管理プログラムを導入した場合，変更管理委員会はデータを使用して変更を含めて品質システムの有効性，Metricsを見直すことが可能となる。

　Metricsとして求められているデータとしては，以下のようなものがあげられる。

- 期限内に終了した逸脱管理
- 発生したOOS数
- 苦情件数
- 実施中の安定性試験，その中間結果レビュー
- 変更管理（申請）数
- 完了した変更手順の数／年
- 早期に終了した逸脱の手続きの数
- 手順の継続時間（申請から完了まで）
- グレーディング問題の数／変更手順の総数
- OOS結果の数／年
- 社内外の苦情件数／年
- 安定性の問題，バッチレビュー，回収

　Metricsとして集められたデータを評価することで，品質システムの有効性確認が可能になる。たとえば，変更手順の処理時間・処理能力，逸脱の処理時間・処理能力をレビューすることによって，品質システムの健全性を測定できる。変更管理プログラムの有効性・効率性は，関係するスタッフの知識と経験によることが多いため，変更管理手続に関する定期的な教育訓練は非常に重要である。また，変更管理委員会は，迅速な変更実施を可能にするために，コミュニケーション手順などをできるだけ簡単にすべきである。

　逸脱と変更がGMPの品質システムの健全性の指標（Metrics）に用いられる理由は，逸脱の起こる可能性は，一般に望ましくない変更（私的要因）に起因することが多いためである。望ましくない変更は，内部および外部の苦情，安定性の問題，回収といった結果に帰結することが多くなる。内部および外部の苦情，安定性の問題，回収が発生した場合，これは変更管理プログラムが失敗したことを示す可能性がある。これは，重要なプロセスパラメータまたは原材料の規格などの変更が見過ごされたり，プロセス開発における負の傾向が開発期間内には検出されないなどがあげられるが，評価時間内に検出できないことが潜在リスクとして存在することを，リスク分析・評価に加えることが求められる。

FDAにおける承認後の原薬の変更

米国FDAにおけるCMCに関しての変更管理については,「Guidance for Industry CMC Post approval Manufacturing Changes To Be Documented in Annual Reports March 2014 CMC」に規定されている。特に,リスクがほとんどない軽微な変更は,年次報告にまとめて報告することが規定されている。

リスクがあると判断したNDA, ANDA保有者は,従来の当局への変更事前申請システムの遵守(変更前許可申請(重大な変更),変更実施30日前申請,変更実施日届け出)を踏襲する。また,医薬品に使用されている原薬の変更(引用しているDMFの変更)は,上記のガイドラインの「APPENDIX A: EXAMPLES OF CMC POSTAPPROVAL MANUFACTURING CHANGES TO BE DOCUMENTED IN ANNUAL REPORTS IF THEY HAVE A MINIMAL POTENTIAL TO HAVE AN ADVERSE EFFECT ON PRODUCT QUALITY」に記載されている。

DMF保有者による変更はこのガイドの対象外であり,"Drug Master Files (DMFs)"(https://www.fda.gov/drugs/developmentapprovalprocess/formssubmissionrequirements/drugmasterfilesdmfs/default.htm)に記載の内容に準拠して,いかなる変更も行うことになる。

FDAは,2018年9月に「Post-approval Changes to Drug Substances Guidance for Industry」と題するガイダンス(ドラフト)を発表した。この内容は,従来の当局への変更事前申請システムの遵守(変更前許可申請(重大な変更),変更実施30日前申請,変更実施日届け出)を踏襲しながらも,リスクベースの変更管理のガイドとなっている。このガイダンスでは,個々の変更の例を示して,評価すべきリスクの例を示しており,その点で異例な構成となっている。

本ガイダンスでは,製造方法の変更後,DMF保有者または原薬製造業者は,原薬の変更による影響を評価しなければならないとされ,原薬の製造工程の変更は,変更前後の原薬の連続した3ロットのパイロットスケールまたは実生産スケールのロットを比較することにより,適切に評価できることであるとの考えのもとで,これによって変更後の原薬の品質が変更前の原薬の品質と同等かそれ以上であるかどうかが判定されるとされている。そして製造工程変更の評価には,以下が含まれると明記されている。

- 変更前後の中間体,未完成の原薬および/または原薬中の不純物の比較
- 変更前後の原薬の物性比較
- 原薬の安定性データ

また他の場合には,同等性を評価する際に,上記にあげた因子に加えて,不純物プロファイルの同等性」,「物性の同等性」の要素も考慮すべきである。

製造工程変更が不純物プロファイルに及ぼす影響は,既存の不純物および新規の不純物のレベルを測定することにより評価することとなる。不純物を評価すべき製造工程の

段階を決定し，そのために用いた分析法の妥当性を確立することが重要であるとしている。

また不純物プロファイルを評価する際には，残留溶媒や無機物質のレベルも考慮すべきである。変更後の単離した中間体，未完成の原薬または原薬の不純物プロファイルが変更前のものと同等である場合には，原薬の不純物プロファイルは変更の影響を受けないと考えられる。最終中間体が生成される前の上流段階で製造工程変更が起こり，変更直後に単離された中間体について同等性が立証できない場合には，不純物の探索を次の下流中間体まで広げる。評価プロセスは原薬までおよび，原薬を含む下流の中間体についても繰り返さなければならない。変更後のロットが分離された場合には，不純物プロファイルは同等であるとみなす。

不純物プロファイルの同等性に関する他の原則としては，

- 非単離の原料（たとえば，中間体または未完成の原料のいずれかを含む溶液）は，一般に同等性を示すには不適切である。
- 受託業務に製造上の変更を加えた場合，ベンダーまたは顧客のいずれかが同等性を確立できる。
- スケールの変更は，変更前後の材料の原料を用いて評価すべきであり，その原料は実生産スケールでなければならない。
- 変更前の物質との同等性を達成するための追加の精製手順（または既存の手順の日常的な繰り返し）を十分に記述すること。

また物理的性質の変化は，施設，スケール，設備，その他のプロセスの変化によっても起こりうる。物性の同等性としては，ガイダンス中で以下があげられている。

a. 固形態の同等性

b. 粒度分布の同等性

c. 粒子径が物理化学的特性またはバイオアベイラビリティに及ぼす影響

d. 内容物の均一性に及ぼす粒径の影響

以下，本ガイダンスに示されている「施設，スケール，機器の変更」，「規格変更」，「製造工程の変更」，「出発物質の変更」についての内容を紹介する。

● 施設，スケール，機器の変更

施設の変更には，以下のものが含まれる。

- 中間体の製造の新しいCMOの追加
- 異なる敷地への中間体製造施設の追加または移転
- 他の製造工程で使用されている設備の製造工程の移転
- 原薬の最終精製または最終工程の施設の変更
- 原薬の代替製造施設の追加

スケール変更とは，中間体，未完成の原薬または原薬について，バリデートされたスケール以外でのロットサイズの変更をいう。機器の変更は記載されている機器とは異なる建材，設計，または動作原理の新機器を含む機器変更に関するものである。

●規格変更

A. 原材料および中間体の規格変更

原材料および中間体の規格変更は，一般に以下のカテゴリのいずれかに分類される。

- 以下を含む，公定書の変更に準拠するように変更された規格。

原材料のUSPモノグラフまたはその他の一般モノグラフが参照可能となった。

原材料のUSPモノグラフまたはその他の一般的なモノグラフの更新。

- より高い品質保証を提供する規格変更

- その他の規格変更

B. 原薬の規格変更

関連する原薬のUSPモノグラフが掲載もしくは更新されたりすると，標準物質に対して適合するように原薬の規格を変更する必要がある。この変更において，試験項目を削除する，試験省略に関しては妥当性を証明すること。また，原薬の合格基準を緩和する場合も，その妥当性を証明する必要がある。

C. マスターファイルまたは原薬の推奨文書

1. 原材料および中間体の規格変更に関する文書

原材料・中間体の規格変更の場合，承認申請書のマスターファイルまたは原薬の項に，以下の内容を含めること。

- 提案された変更の説明と根拠。

- 必要に応じて，新規または改訂された分析法および分析法バリデーション／ベリフィケーションの簡潔な記述。

- 原材料または中間体の規格が改訂された最新のCOA。

- 不純物プロファイル（中間体または原薬の場合）および物性（原薬の場合）の評価

2. 原薬の規格変更に関する文書

原薬に関わる規格の変更については，承認申請書のマスターファイルおよび原薬の項に，以下の内容を添付すること。

- 変更提案された規格の内容およびその根拠。

- 必要に応じて，新規または改訂された分析法および分析法バリデーション／ベリフィケーションパッケージの簡潔な記述。

D. 承認申請における製剤の推奨文書

この情報は，規格変更により補足資料の提出または年次報告書への記載が必要な場合にのみ，申請者によって提出される。

●製造プロセスの変更

このカテゴリーには，合成経路の変更や再処理手順の追加など，広範囲にわたるプロセス関連の変更が含まれる。

A. 合成経路に関与しない変更

たとえば，合成工程，精製プロセスまたは再処理工程において，次のような変更が行われることがある。

- 単位操作の変更（例：追加，削除，順序の変更，既存の単位操作を日常的に繰り返す）。
- 原材料（溶剤，試薬など）または補助材料（樹脂，加工助剤など）の追加・削除
- 溶媒組成の変化
- 工程パラメータ（温度，pH，試薬の化学量論，時間など）の変更

B. 1つ以上の工程での合成経路の変更

一般に，合成経路の変更は，原薬の不純物プロファイルに悪影響を及ぼす可能性が中程度から高いと考えられる。新合成経路を用いて製造工程のバリデーションを実施すること。

不純物のキャリーオーバー試験およびスパイク／パージ試験を適宜実施すること。

C. 確立した製造工程の一環としての再処理手順の確立

再処理はルーチンの事象とはみなされない。頻繁な再処理が予想される場合には，申請書に記載されている確立された製造工程の一部として手順を含めること。製造工程において，再処理手順なしで承認された場合は，承認後にその手順をDMFの修正として，またはNDAもしくはANDAの補足として追加することができる。

製造工程の一部として再処理作業を確立することは，原薬の物理的性質に悪影響を及ぼす可能性が低い。

D. DMFまたは承認された申請書の原薬の変更申請に推奨される文書

製造工程に関する変更については，承認申請書のマスターファイルおよび原薬の項に，以下の文書を添付すること。

- 変更案の説明と根拠
- 新原材料（出発原料，試薬，溶媒，中間体など）ならびに代表的なCOAの規格

工程変更と併せて新たな規格の設定が必要な場合は，複数の変更とみなす。

E. 承認申請書に添付すべき製剤の推奨資料

製造工程に関わる変更については，申請資料には，以下の文書を含めること。

- 変更後に製造された原薬の原薬製造業者のCOA，または変更実施後に製造された中間体を用いて製造された原薬。
- 承認された規格およびUSP（該当する場合）への適合性を確認する原薬の製造業者のCOA。

さらに，原薬の不純物プロファイルおよび物理的性質の同等性が示されておらず，その物理的性質が製剤の製造性または性能に影響を及ぼす可能性が高い場合には，申請資

料に以下の事項を含めること．

- 変更前の医薬品の COA と，代替製造プロセスを使用して製造された原薬で製造された変更後の医薬品の3つのバッチの COA との比較．
- セクションⅣ「変化の評価」に記載した溶出データ．
- 原薬および製剤のいずれの方法についても，原薬不純物のクロマトグラフィーのピークの定量が適切であり，共溶出がないことを保証するための分析法データの概要．
- 変更後の原薬を用いた製剤の1ロットについて，加速試験および入手可能な長期保存試験成績が3カ月間得られ，年次報告書に長期データを提出することを約束したもの．

●出発原料変更

出発原料に関しては，ICH Q7に記載されているGMPの範囲が適用される．

A. DMFまたは承認された申請書の医薬品の変更申請の推奨される文書

出発原料を含む変更の場合，承認申請書のDMFおよび原薬の項への提出には，以下の内容を含めること．

- 新しい施設／ベンダーの名前，住所，連絡先の情報
- 出発原料に関する自社およびベンダーのCOA（該当する場合）
- 原薬の製造の後期段階で指定された出発原料の合成経路の変更については，追加資料が必要となる場合がある．

B. 承認申請書に添付すべき製剤の推奨資料

出発原料のベンダーまたは製造工程の変更については，その変更が本ガイダンスで取り上げた他の変更のきっかけとなる場合を除き，申請者が情報を提出する必要はない．

出発原料の再設計については，申請者は，新原料または変更出発原料を用いて製造された原薬について，原薬製造業者のCOAを提出しなければならない．

このようにFDAは，原薬の変更に関してドラフトではあるがガイダンスを発表しており，必要な文書も例示している．このことから，変更に関してこれらのパターン化できる変更は，求められる（推奨される）文書の提出が，最低限必要と考えられる．

製造装置の変更に関するFDAの期待

FDAは，製造装置の変更を評価する際の期待を記述した，SUPACガイドライン（Scale-up and post-approval changes）に新しくappendixを発行した．

このFDAガイダンスは，すでに存在するガイダンスのアップデートである．

- SUPAC-IR / MR：即時放出および徐放性経口固形製剤，製造装置付属書
- SUPAC-SS：半固形製剤，製造装置付属書

大きな変更点としては、双方のガイダンスに規定があった「特定の製造設備」のリストを削除していることである。その理由は、FDAが製造設備リストを維持することが製造技術の進歩を妨げる可能性があると懸念していたためである。

さらに、参照されているプロセスのタイプを明確にしている。この文書に記載されている情報は、ユニット操作の幅広いカテゴリーで提示されている。各操作について、機器はクラス（動作原理）とサブクラス（設計特性）に分類され、特定のブランド情報ではなく、サブクラス内で分けられている。

製造装置の変更を評価する場合、FDAは「cGMP規制を踏まえ、規制を遵守するリスクベースのアプローチ」に従うことを推奨している。また、製造プロセスの設計と開発を行う際に、（プロセスパラメータを使用して）機器変動幅の製品品質特性への影響に対処することを推奨している。

オーストラリアの軽微変更

オーストラリアでは軽微変更に関して、リスクの大きさに基づく判断で審査の簡便化を促進している。オーストラリア保健省薬品・医薬品行政局（TGA）は、「Minor variations to prescription medicines Process guidance Version 2.0, December 2017」と題するガイドラインを発出している。

TGAは、軽微な変更の実施は、登録された医薬品または生物学的製剤の確立された品質、安全性および有効性に影響を及ぼさないと判断する場合、変更申請（「通知」とも呼ばれる）の提出は必要だが、評価を必要としない。なお、申請者（製薬企業）は、変更実施前にTGAの承認を受ける必要がる。「通知」として提出できる変更のタイプは、Therapeutic Goods Regulations 1990で規定されている。

 Point

変更に対するリスクベースのアプローチ

製薬企業は、新医薬品や生物学的製剤の登録申請時に、その品質、安全性、有効性を保証するデータをTGAに提出する。この情報に基づいてTGAは、医薬品または生物学的製剤の変更の承認を行い、ARTGに新規登録または変更登録する。

ICH Q12と承認後変更管理実施計画書

ICH Q12ガイドライン

　度重なる点検の実施指示にもかかわらず，承認書との齟齬が多く見出されたことを受け，「医薬品の製造販売承認書に則した製造等の徹底について」（平成28年6月1日付け薬生審査発0601第3号，薬生監麻発0601第2号厚生労働省医薬・生活衛生局審査管理課長，監視指導・麻薬対策課長連名通知。以下「徹底通知」という。）で，製造販売業者等に対して，承認書と製造実態との照合の徹底，変更管理の適切な実施体制の確保，再発防止の徹底について周知徹底するよう厚生労働省は呼びかけている。

　そのうえで，医薬品の製造方法等の変更に伴う承認事項の適切な変更を徹底するとともに，製造方法等の円滑な変更を推進することなどを目的に2018年3月9日付で「医薬品の品質に係る承認事項の変更に係る取扱い等について」（薬生薬審発0309第1号，薬生監麻発0309第1号）が発出されている。

　これは，承認事項の変更開始前（検討段階）に，製薬企業と規制当局があらかじめ協議して変更内容，手順を決めておく手法である。ICH Q12「医薬品のライフサイクルマネジメント」のガイドライン4章，承認後変更管理実施計画書（PACMP）に提唱されている，変更管理を迅速に行う手法と考えていただきたい。

　前述のとおり，ICHはQ8，9，10，11ガイドラインがそれぞれ順次発行され，リスクベースの考え方や品質システムの構築が導入されてきたが，Q12は承認後の柔軟かつ効率的な変更管理をもたらすアプローチについて調和した要件を示すガイドラインであり，承認後まで一貫した品質を確保するという意味で，Q8，9，10，11に加わることでライフサイクル全体をマネジメントすることが志向されている。

承認後変更管理実施計画書（PACMP）

　ICH Q12では，「PACMPは，承認された実施計画書がMAHと規制当局の間の合意を

もたらすため，変更の実施に必要な要件と検討に関する，予測性及び透明性をもたらす規制のツール」であると定義している。

さらにこのPACMPの運用に関しては，実施計画書には登録保持者が製品ライフサイクルの商業生産段階で実施しようとするCMCに関する変更，提案する変更による影響の評価を含む変更の準備および検証方法，ならびに各地域の規制およびガイダンスに沿って提案する変更カテゴリ（すなわち，承認されたPACMPがない場合に比べて低い変更カテゴリおよび／または短い審査期間）を記載するとされている。また，満たす必要がある具体的な条件および判定基準も特定することとなる。

PACMPの利用には，一般的に以下の2つのステップが必要となる。

ステップ1

実施計画書を立案する。この計画書では，変更が規格等に影響を及ぼさないことの検討結果，さらにその検討結果を導き出した変更の持つリスク評価，変更の意義，リスク評価での根拠，その判定基準をまとめ，当局に合意を得ること。当局との協議，合意が必須となる。

ステップ2

実施計画書に示した試験および検討が実施される。得られた結果／データが実施計画書にある判定基準を満たしており，その他の条件も満たしている場合，登録保持者は承認された実施計画書に記載されているカテゴリに従ってこの情報を規制当局に提出し，適宜規制当局による審査を受ける。

ただし，PACMPのステップ1で想定していなかった製造工程または管理の重要な変更（製造工程での順序の変更等）は，ステップ2で実施することはできず，各地域の規制またはガイダンスに従って，薬事手続き，変更申請を行うことになる。

PACMPに含まれる要素

PACMPに含まれる要素を以下にまとめて記載する。
- 提案する変更およびその妥当性を含む変更の内容の詳細な説明。提案する変更の実施前と実施後の違いを対比表で明確に示す。
- 初期のリスクアセスメントに基づき作成した，提案する変更の潜在的な影響を評価するために実施する具体的な試験および検討の一覧。例えば特性解析，出荷試験，安定性試験，工程内管理。さらにPACMPには，各試験または検討内容の分析法，および提案する判定基準（合格基準）を記載する。

- 承認されている医薬品の管理戦略の適合性，または計画している変更に伴って必要となる管理戦略の変更に関する考察，提案。
- 工程の適格性評価の初期の段階は，変更の実施前に完了することの確認などの必要条件。
- 知識管理に基づく，類似の例・変更例からの参考データ（リスクの低減に役立つ，開発，製造，特性解析，出荷試験および安定性試験に関するデータ）。
- PACMPのステップ2に対して提案する変更の分類。
- 変更の製品品質への影響の継続的調査の確認。変更の実施後に製品品質に対する影響をモニタリングするための管理戦略。複数の変更の場合には，累積的な影響・相乗的な潜在的リスク，およびそれらの変更の相互関係に対して品質リスクマネジメントを行う。

日本におけるPACMPの試行

　日本においては，PACMPは試行という形で導入が図られた。2018年3月9日付で出された「医薬品の品質に係る承認事項の変更に係る取扱い等について」の通知の中で，「承認後変更管理実施計画書（Post-Approval Change Management Protocol。以下「PACMP」という。）は，ICHで合意されたガイドライン案である「ICH Q12医薬品のライフサイクルマネジメント（案）」において示された考え方です。PACMPを用いた承認事項の変更制度とは，製造販売業者等とPMDAとがあらかじめ，製造方法等の変更内容，変更内容に対する評価方法及び判定基準，品質に係る承認事項の変更案，変更手続の区分，GMP適合性調査の要否等について合意しておき，その後，合意された評価方法に従って検討を行い，予定された結果が得られた場合は，品質に係る承認事項を予定していた案へ迅速に変更できる制度です。医薬品の製造販売承認後の品質に係る承認事項の変更に係る予測性及び透明性の向上に資するよう，本制度を試行すること」としている。

　その後2021年6月16日付で「医薬品等の変更計画の確認申請等の取扱いについて」（薬生薬審発0616第14号）が発出され，「変更計画を用いた承認事項の変更制度を法令上明確化する観点から，医薬品，医療機器等の品質，有効性及び安全性の確保等に関する法律等の一部を改正する法律（令和元年法律第63号）第2条の規定による改正後の医薬品，医療機器等の品質，有効性及び安全性の確保等に関する法律（昭和35年法律第135号。以下「法」という。）に位置づけ，取り扱う旨が通知されている。

FDAによる制度

　FDAは，PACMPに類似したガイドラインを，2021年6月に発出している。"Chemistry, Manufacturing, and Controls Changes to an Approved Application: Certain Biological

Product"と題したガイドラインで，変更管理に関する2017年に発出したドラフトの最終版となる。先行している化学合成医薬品の変更管理と同等の内容を，生物学的医薬品に適用することとなった。

これに伴い，製薬企業は変更をより柔軟に行えるようになり，comparability protocol（CP）を準備することで，変更申請を予測的に行える利点が加えられた。

また，このガイダンスの範囲の認可された生物学的医薬品全体で報告された，製造上の変更の審査と評価を実施した。特定の変更に対する段階的報告システムに基づいて適切な報告カテゴリを決定するために，FDAが主導するリスク管理とリスク評価の両立，ICH Q9の一般的な推奨事項を適用した。この評価と，製造変更の査察およびレビューからの全体的な経験に基づいて，特定の変更に関連するリスクを再分類することにより，レポートカテゴリに関する1997年7月のガイダンスに含まれる推奨事項を改訂した。

FDAは，発出したガイドの内容的には，ICH Q12と同等であることも述べている。たとえば，申請者の評価と変更の実施では，「医薬品の安全性または有効性に関連する可能性があるため，医薬品の品質に影響を与える変更の可能性を徹底的に評価し，文書化すること。変更前と変更後の医薬品の比較可能性を実証するための情報とデータには，変更の潜在的な影響を評価するために，必要に応じてテスト，バリデーション研究，および非臨床または臨床研究の組み合わせを含めることができる。医薬品の性能が原材料の特性やプロセスパラメータにどのように関連するかの開発および商業生産中に蓄積された知識と経験は，製造変更の影響を評価するのに役立つ」としている。

CPを準備することに関して，FDAは具体的な記述をしている。

- CPは，提案されたCMCの変更が医薬品の品質に与える影響を評価するための包括的で前向きに作成された計画である。申請者は，医薬品品質に対する特定の種類の製造変更に対する悪影響がないことを実証するために，達成すべき特定の試験，バリデーション研究，および合格基準を説明する1つ以上のCPを提出するオプションがある。CPは，プロトコールで解説，要約されている変更を使用して行われた医薬品の出荷前に，FDAからの承認を必要とするPAS（主要な変更）として提出されるものとする。承認された場合，CPは，特定の変更について負担の少ない報告カテゴリを正当化する可能性がある。
- 報告カテゴリは，CPの一部としてFDAによって要求され，承認されるべき。
- CPが承認された後，申請者はCPに変更を加えることができる。21 CFR 601.12（e）に基づき，そのような変更はPAS（主要な変更）として提出されるものとする。21 CFR 601.12（a）（3）で規定されているこの要件にもかかわらず，CPをより有用で柔軟にするために，FDAは承認されたCPに対する特定の種類の変更の負担の少ない通知を提供する場合がある。
- CPは，単一または複数の関連する変更に対して提出される場合があり，単一また

は複数のBLA（つまり，「トランスBLA」）をカバーする場合がある。CPの提出と承認により，次のことが可能になる場合がある。

(1) CMC変更の実施のタイミングに関する予測可能性が向上

(2) プロトコールを使用しない場合よりも早く医薬品を出荷可能

(3) 医薬品サプライチェーンのより効果的な計画

MEMO

2章

変更管理の手順と品質への影響評価

key note

　変更管理の基本は，変更を行わないことである。そして，変更の範囲は，最小限にとどめることが原則である。

　このため，変更することによって生じるリスク，変更によって得られるメリットを評価して，変更によって得られるメリットが，変更に伴うリスクより大きいと検証することで，変更申請が許可されねばならない。

　このことは，変更することで生じるリスクが，得られるメリットより大きければ変更をすることを断念する，もしくは変更の内容を見直す必要があることを意味する。

　本章では，リスクとメリットの評価方法を解説する。

変更における
リスク評価の基礎

リスクマネジメントの手法

　1章でICH Q9について述べたが，変更に際しては必要に応じて品質への影響，リスク分析・評価に関する根拠資料，根拠データを添付する。また，変更で得られるメリットが，変更を行うことに伴う顕在・潜在的リスクを上回ることを調査した結果・説明を添付する（変更で得られるメリットが変更を行うことに伴う顕在・潜在的リスクより有意に小である場合は，リスク低減策を準備する）必要がある。

　変更にあたっては種々のリスクが存在する。それらのリスクを分類・集約することがリスクマネジメントの始まりであり，生じるであろうリスク（顕在リスク）と同じように，もしかしたら起きるかもしれないリスク（潜在リスク）をすべて洗い出す。さらに，そのリスクの大きさの判定のために，リスクの持つ要素を数値化して見積もる（表2-1）。

表2-1　リスク分析記録様式

変更点	具体的な例	顕在リスク	潜在リスク	発生確率	検出能	重篤度	リスクの大きさの指標（RPN）

リスクの大きさの評価

　「リスクの重篤度×発生確率×検出能」でリスクの大きさを評価する。得られた数値が，リスクの大きさの指標（RPN）と呼ばれる。図式化すると，図2-1のようになる。

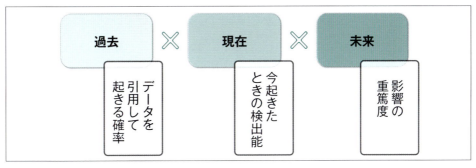

図 2-1　リスクの大きさ

(1) 重篤度

　変更管理でも，社会基準・業界の通例から重篤度を推定することは，従来のリスク管理と同じである。評価される重篤度は，健康被害はもとより，社会的被害（患者への医薬品供給滞り）なども含まれる。考慮する項目としては以下のものがあげられる。

- 副作用（許容閾値は，国や歴史の流れで変化することがある。欧州では許容される副作用が，日本では許容されないこともある）の重篤度
- 健康被害（不純物，異物混入・微生物汚染，安定性不備）の重篤度
- 欠品の可能性
- 従業員への健康被害
- 社会的影響：出荷遅延（欠品），環境負荷（廃棄等）など

これらの重篤度は，医薬品に固有のものと考えてもいい内容である。

Point

　重篤度の評価では，製造場所の変更，バッチサイズの変更などについては，製造する品目が同じであればあえて追加の評価は行わず，前に行った重篤度評価を継続し，製造する品目，剤形を変更する場合に重篤度の見直しが必要になることが多い。

(2) 発生確率

　経験則により発生確率を算出する。逸脱のトレンド分析（数年間にわたる発生の傾向から確率を推測），科学的統計資料の活用，ヒヤリハットの記録（逸脱になる前のヒヤリハットの記録から発生確率が推測できる），年次照査（逸脱，OOSの発生トレンド分析，製造記録，分析記録，環境モニター）などから分析を行い，発生確率を算出する。

> **Point**
>
> 　変更時のリスク管理では，新規に医薬品を開発する場合と同じく，過去（データを引用して，起きる確率）のデータ量が少ない，もしくはない場合も多い。そのため，リスクの発生確率は実測値ではなく，推定値（期待値），各企業・担当者・グループの経験値からの推測でしかない。この推測される発生確率の精度を上げるために，種々の対策が必要となる。

(3) 検出能

リスクマネジメントシステムでは，検出能を現状の測定感度，能力のバリデーション・ベリフィケーション結果から推定してきた。

- IQ・OQ・PQの結果から，逆算して検出精度・閾値を求める
- 品質検査の検出限界（検出不能の確率）を算定
- バッチ記録から不適合・排出率，OOSの発生率を読み取り，検出不能の確率を算定
- 年次照査から，不適合品，OOS等の発生率を読み取り，検出能を評価する

リスク見積もり用の基準

ここで，リスク見積もり用の基準（Index）の例を**表2-2～2-4**に示す。

表2-2　重篤度の推定

Index	品質への影響
10	危機的 ―重傷，不可逆性影響または死亡を引き起こす可能性がある
7	深刻 ―有害影響を引き起こす可能性がある
5	可逆性影響
3	深刻でない ―刺激，可逆性影響
1	顕著な影響なし

表2-3　発生確率の推定

Index	発生率 バッチによる事象	発生率 一般製造事象
10	バッチ当たり1回以上	1日当たり1回以上
7	50バッチ当たり1回以上	1ヵ月当たり1回以上
5	600バッチ当たり1回以上	1年に2回以上
3	600バッチ以上に1回	1年～5年に1回
1	―	5年以上に1回

表2-4　検出能の順位付け（除外の困難さ）

Index	検出・除去の可能性
10	現行手法では検出されない／現状の手法では除去できない
7	すべて手動で検出される・検出された場合は廃棄除去する
5	統計的サンプリング検出
3	自動検出・自動的に除去できる
1	明白にモニターされ，自動的に警告される・自動的に除去できる

　リスクの重篤度×発生確率×検出能で求められたリスクの大きさを分類し，そのリスクが許容できるか否かを判断する（**表2-5**）。

表2-5　許容値（例）

リスクの大きさ	リスク甘受の可否	改善の必要性	優先度（期間）
＞343	到底受入れない	必須	最優先
343〜125	受入れない	必須	優先
124〜27	条件付可	可能ならば	必要に応じて
＜27	可	必要性はない	―

　こうして得られたリスクの大きさを解析して，対象のリスク項目を判定してまとめた表を準備する（**表2-6**）。

表2-6　リスク集計（例）

	重篤な被害	中程度の被害	軽微な被害
稀	◎		
低頻度			
高頻度		○	△

　このように，判定の結果からその対象項目のリスク低減策（戦略）を検討することになる。リスク低減策の例を**表2-7**に示す。

表2-7　リスク低減策

低減策	
1. リスクの排除	工程段階，移転などの回避，剤形変更
2. 交換	工程，施設，機械設備，方法などの交換 代替物質の利用
3. 低減	施設の隔離，工学的制御，切替（シングルユース）装置などを用いる
4. 手順制御	特殊工程に対し訓練，技術，場所，時間別分離，空間，機械設備／施設の割り当てなどが含まれる

2

変更時に検討すべき事項

 製造工程の変更

(1) 品質リスクマネジメント

　変更を計画する際に,「リスクが発生しないように製造工程の変更準備をする」。これが,従来から行われてきた事前リスクの低減策が含まれた変更計画である。

　この事前のリスク低減策である変更計画に対してリスク分析・評価を行い,推定されるリスクの大きさ,低減策・検証の優先順位を決める。

(2) 変更時のバリデーション／ベリフィケーション

　日常的な工程確認および製品品質の照査などの結果から製造手順などを変更する場合がある。変更は,製品品質へ影響を及ぼす可能性があるため,変更時のバリデーションを行う際は,当該変更の品質へのリスクを評価するが,まず"評価が必要なリスク"を特定する。必要と判断した場合は管理項目を増やして,品質への影響の有無を的確に検証することが望まれる。さらに,検証,適格性確認およびバリデーション(たとえば分析方法,製造工程,装置および洗浄方法)の適用範囲や程度を明確にし,フォローアップの程度を決める(サンプリング,モニタリング,再バリデーションなど)。

(3) 変更後の工程内サンプリングと工程内検査

　工程内検査の頻度と程度を評価する(たとえば検証された管理条件下で試験削減の正当性を評価する)。パラメトリックリリースおよびリアルタイムリリースに連動したプロセス解析工学(PAT)の使用を評価する。そして妥当(適切)な生産計画を策定する(たとえば,専用生産,キャンペーン生産,同時生産計画)。変更前後での生産能力の変動が許容範囲内で妥当性があることを検証することも必要。

製造場所の変更

（1）品質リスクマネジメント

　製造場所を受託製造業者（CMO）のサイトに変更するときのリスクは，新しいCMOのリスク評価そのものであり，あわせて技術移転の完全性の証明が必要になる。

　このためリスクを低減するためには，新しいCMOにかかわるリスクを評価することが求められる（これは，原材料の供給業者を変更する場合にも同じである）。

　CMOを総合的（包括的）に評価することが必要で，たとえば実地監査，書面調査を通して，CMOが持つ顕在的なリスクならびに潜在的なリスクの大きさを評価する。このリスクの大きさで，当該CMOを変更先にしないことも，リスク回避策としてありうる。また，CMOとの品質契約の内容を見極めることも必要である。

　CMOにかかわるリスクは，製造に限ることではなく，出発原料の調達，評価，中間体・原薬の品質管理に関係して起こりうる品質変動や，想定される品質にかかわる部分も対象となる。たとえば再加工，再処理，返品の保管・再使用が適格に運用されていることを検証する。

　変更する供給業者の持つべき保管，物流，配送条件も，変更管理の対象となるため，ロジスティクス（適切な保管や輸送の条件），たとえば温度，湿度，容器設計が正しく維持管理されているか，移転後行われるかを評価する。

（2）CMO選択の視点

　初期調査として会社の運営状態，GMPの充足度などを書面調査で，製造能力を実地訪問などで評価する。次に初期調査の結果に基づき，品質マネジメントで検出されたリスクを評価して，候補CMOを選択する。

　選択されたCMOに対して，GMP実地監査を行うが，指摘事項（リスク）が見つかれば，改善策（CAPA）を実施させる。これがリスク低減策であり，CAPAの計画，その結果で，CMOの持つリスクの大きさが許容閾値以下になれば，品質契約を用いて，バリデーションに移行する。

　このバリデーションは，技術移転，移転された技術に基づく検証（ベリフィケーション），バリデーション（製造，分析，洗浄，保存等）を行い，移転後の製品の同等性を検証する。まさに，リスク低減策，許容リスクの検証である。

変更後のリスク（初期，継続的）評価

　変更時のバリデーションで変更に対する検証が適切に実施されるが，変更後に実生産で予期せぬ問題が発生することも予測される。

　バリデーションが成立し，実生産を開始した初期製造段階は，製造実績の乏しさをカバーするために，評価項目などを適切に増やすことが推奨される。

　その後継続的リスク管理として，たとえば，実生産開始後，所定のロット数の製造が終了できた段階において，製造されたロットに対して製品品質の照査を行い，製造工程の管理状況を評価するような方法をとることもある。年次品質照査でトレンドを評価し，潜在的なリスクを発見する。

リスクレビュー

　バリデーション・ベリフィケーション終了後，すべての結果を照査して，品質マネジメントで検出されたリスク分析・評価と比較して，残存リスクが許容できる値であることを検証すると同時に，新たなリスク・潜在リスクが残存していないかを検証する。もし新たに検出されたならば，リスク分析，評価を行う。

　このバリデーション，年次照査を通じてQRMサイクルを回し，変更の影響を最小限にしていく（図2-2）。そして新たに見つかったリスクを最小限に低減する。

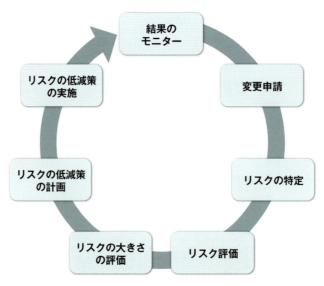

図2-2　品質リスクマネジメントサイクル

リスクベースによる変更管理手順

変更のリスクとは

製造方法，製造場所，規格，原料などを変更する際，変更に伴う種々の不都合・逸脱が発生することがよく知られている。これは，変更によってリスクが増大するともとらえられる（表2-8）。

表2-8 変更のリスク例

変更例	具体例	リスク
製造場所	国内から海外への移転	品質の変動（不純物など） 品質・製造管理の困難さ
製造規模	パイロットから商業生産	反応速度，ろ過速度など各パラメーターが直接的に変動しない
手順	新しい手順を導入	操作手順を熟知するまでの逸脱
原材料	出発物質の供給先の変更	品質の変動（不純物など） 製造管理の同一性
人材	新規配置転換者の教育	技術習得までの逸脱

変更の分類

変更時に不都合・逸脱が発生することが知られているにもかかわらず製薬企業はなぜ変更をするのか？　その理由に基づいて，変更を以下のように分類した。

(1) 規制・科学の変化・進歩に伴い，現行の手順が陳腐化したために行わざるを得ない変更。開発におけるスケールアップ，技術移転，ライフサイクルを通じての改善で生じる変更。本書では，必然的変更とよぶ。

(2) 手順の記述と実際の操作が異なり，その訂正のために行われる変更（厳密にいうとこれは訂正であり，変更管理の対象にはあたらない）。

(3) 原料の供給者の生産中止に伴う新供給者への変更や，機器の老朽化，スペックの陳腐化のためにやむなく行われる新機器への変更。本書では，<u>外的要因変更</u>とよぶ。

(4) 生産量の変動などにより，経済的な理由で原材料・施設を新たな供給先にするなど，製造の合理化・手順の単純化などの変更。本書では，<u>私的要因変更</u>とよぶ。

(5) 安全・品質向上のため，混同・交叉汚染防止の機器を導入したり，出荷試験の規格値を狭めてより厳格にする，検査項目を増やす，製造機器に安全装置を追加導入するなどの変更。本書では，<u>安全性・品質向上変更</u>とよぶ。

このように分類してみると，変更は単純な概念では一括りにできないことが理解できる。また，変更の影響力の大きさで分類すると，

a. 品質に大きな影響があるかもしれない＜重大な変更＞
b. 品質に影響があるかもしれない＜軽微な変更＞
c. 品質には影響がない＜その他変更＞

と3段階の影響の大きさでの分類が必要となる。

これら3種類の分類と前述の（1）〜（5）の乗数で15種に分類される変更の管理が必要と単純には見えるが，実際リスク分析が必要となるのは，「外的要因」と「私的要因」の2分類であり，そこに影響分類を乗じた計6種になると筆者は考える。

Point

　「外的要因」と「私的要因」による変更は，存在するリスクが安定している恒常状態を，あえて変化させることを意図している。それに対して，「必然的」，「安全性・品質向上変更」では，変更時に不都合・逸脱が起きる可能性が低いと考えられる。

リスクベースによる変更管理

　リスクベースによる変更管理では，まずリスク分析を行うことが必要になる。変更によって得られるメリットと変更に伴うリスクを分析・比較評価する。このとき，正確なリスク分析が可能ではない場合が多いが，大雑把でもよいので，変更に伴うリスクと得られるメリットを分析してみることが必要である。ここで，目先のメリットに飛びつき，変更によって生じると推測されるリスクを無視することは，変更管理上最悪な状況を招くことがある。これを防ぐためには，リスク評価は重要な手法である。GMPでは，変更は今後の医薬品製造・品質に影響を及ぼすため，決して短期間のメリットを評価して，変更を承認してはならないのが本質である。

　このようなリスクの増大・発現を防ぐために，変更申請者が，申請者による自己点検（リスク分析）により，変更に伴うリスクを特定すること。このとき，変更申請者が顕在するリスクのみに注力せず，潜在リスクをできる限り推定して評価せねばならない。

　ここではFMEAやHACCPなどの手法が用いられ，まずは工程の抽出・特定，実施に伴うリスクの特定，そのリスクの発生頻度，発生時の影響の大きさ・被害の大きさ，発見のしやすさ・除外の容易さを定量化する。

手順変更のとき

　手順が変更されたとき，従来の手順と異なることで，新手順との差を十分に認識しないと，人間の思い込み・慣れという一番厄介なリスクが存在する。特に，永年の行われた方法の変更では，身についた癖・慣習が逸脱を誘引することになる。このため，このリスク低減のためには模擬での新手順を使用し，操作の実地訓練を行うことなどが望まれる。

機器・装置変更のとき

　機器・装置が変更されるとき，製造の条件，操作性は異なることが知られている。これがリスクである。新機器・装置を用いていきなり製造することはできないので，リスク低減策として，まずは機器・装置が，目的に適しているかの確認が要求される。

- Design Qualification（DQ）：目的に合った機器となっているか，それを実際の現場（製造・試験室）に搬入して取り付ける際には，動作性としてのリスクがあるため確認する。
- Installation Qualification（IQ）：備え付けが逸脱なく行われたか，運転するかどうかのリスクが次に生じるため確認する。
- Operation Qualification（OQ）：据付けまたは改良した装置が，予期した運転範囲で意

図したように作動することを確認して文書化する。この時点で，現場に据え付けられた機器・装置の機械としてのリスクは低減されたこととなる。ここからは使用側が，意図した製品を製造・検査できるかとリスクの検証が必要となり，承認された製造方法および規格に基づき効果的かつ再現性よく機能できることを確認し文書化するPerformance Qualification（PQ）が行われる。

これらのQualificationの手順は，バリデーションの一部であるが，同時に新機器・装置のリスクの低減策でもある。

変更にはリスクがいっぱい

GMP・QMSにおいて，逸脱・異常が多く発生するのはどの段階であろうか。これは，旧来のISOを含めて事例が調査されており，統計的には新製品の製造開始時と変更後の初期に集中することは広く知られている。

継続的に行われてきた医薬品の製造・品質管理の工程が，変更により継続性が失われ，新規の手順や機械という変化に直面する。

人の持つ個性である保守性から，変化に対応するには時間と慣れが求められることから，新製品の製造開始時も，変更が起きたと同様に逸脱・異常の発生が誘引されると考えられている。

このため，変更には多くのリスクが存在していることの認識が必要であると同時に，変更，新規の作業の開始時に，変化が持つリスクを十分に分析・評価することで，そのリスク低減策を事前に準備することが求められる。

変更申請の手順例

ここで，リスクベースの変更申請の例を紹介する。従来の変更申請に，リスク管理の概念を加えただけであり，特に変更管理の基本的な概念・フローは変えていないので，容易に現状の手順に小規模の変更を加えることで対応できるようにした。

①変更を立案する担当者（部門）は，変更が必要な範囲，対象を決定して，文書化する。同時に，なぜ変更が必要であるかの合理的な説明が必要となる。特に，「外的要因」と「私的要因」に分類される変更では，変更することによって発生するリスクと変更によりもたらされるメリットの比較が必要である。

②リスク評価の結果とリスク低減策（バリデーションなど）と，低減策実施後のリスクの大きさを付帯資料として品質保証部門に提出する。低減策には，バリデーション，保存安定性試験，同等性確認試験などが含まれるが，リスクの大きさが製薬企

業が許容できる大きさ以下になったことを検証するのに十分な証拠が求められる。

また，この低減されたリスクが，変更によって得られるメリットより大きくないことの説明が必要である（注；このメリットがリスクに勝らない場合は，変更申請を却下することが必要である）。

③品質保証部門はこのとき，提出されたリスク低減後のリスクと変更によりもたらされるメリットとのバランスを照査・検証する。

④品質保証部門は提出された変更管理申請，リスク評価の結果，低減策とその実施後の推定されるリスクの大きさを，関係各部門と共有化して，各部門の合意，不合意，追加のリスク低減策・検証の要求を取りまとめる。

⑤品質保証部門もしくは変更管理委員会は，リスク分析評価の結果，低減策とその実施後の推定されるリスクの大きさと，変更により得られるメリットを比較して，変更の（検討開始）可否を決定する。その際に，変更を実際に行うために必要な検証・実施項目と合格基準を決める。　変更検討開始の承認

⑥変更が実行に移される際には，低減策としての検証結果と，その検証結果を照査。実施される低減策によって変更後に起こりうると推定されるリスクの大きさを再検証する。可能であれば，再度，変更により得られるメリットと比較して，変更の有効性を検証する（注；低減策の有効性が認められない場合は，変更を中止して，変更申請前に戻すこと）。

⑦変更後の文書管理を行うが，そのとき留意する点は以下のとおり。
・改訂された文書で定められたルールのとおりに作業しているか？
・旧来の方法が楽だからと勝手に作業内容を変えていないか？
・文書を改訂しないまま，記録用紙を変更してしまったり，作業のやり方を変更してしまったりすることはないか？
・変更管理と並行・連動して，必ず文書も改訂すること。

⑧教育訓練・認定評価を確実に実施する。変更時のリスクとして，人は慣れた手順に従い，変更された手順どおりに行うには時間がかかるリスクがある。このため，教育訓練を実施するが，これだけでは不十分であるといわれており，教育訓練の成果を検証するために実地試験を行い，認定することがリスク低減策となる。教育訓練・認定は，変更を開始する前には行い文書化する。

⑨品質保証部門／品質部門は，変更に伴うリスク低減策としてのバリデーションの結果検証，必要な文書の改訂・教育訓練記録を照査して，リスクが低減されたことを承認して，変更した手順・設備での医薬品などの製造・試験開始を承認する。

> この過程が変更管理のclosed

⑩変更後，一定期間に渡り継続的にリスク・変更の影響をモニターしていくことを事前に決めておく，もしくは年次照査で，リスクの増加傾向化がないこと，新たに発生が予想されるリスクの存在・発現を検証する。

⑪この継続的モニターの結果をもって，品質保証部門は最終的な変更管理を終結させる。

ここまでの一連の流れを図2-3に示す。

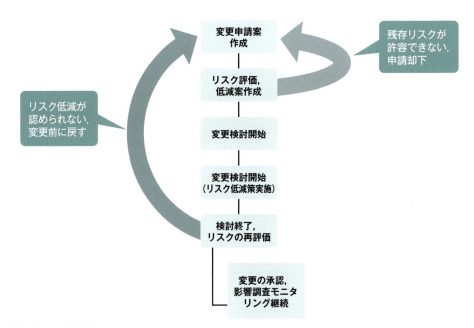

図2-3　変更管理フロー

リスク評価の演習

ここでは,主要原材料の供給元の変更を例にとって演習を行う。

前提条件

- 原薬の主原料の供給先を,国内から海外の製造所に変更する。
- 主原料は,ドラッグマスターファイル(DMF)に登録されている。
- 事前申請が必要な変更になると推定。

リスク分析

1. リスクの洗い出し。顕在リスクおよび潜在リスクをそれぞれ4件あげてください。

2. リスクの大きさ。発見したリスクを,影響評価の結果を基に,重篤度,頻度,検出能を推定して,RPNを計算し,優先度を判定してください。

3. 変更によるリスクとメリットの評価。変更によるリスクとそれによってもたらされるメリットをあげ,それぞれの大きさ(3段階評価)を示してください。

4. 顕在リスクの低減策を立案してください。

5. 潜在リスクの低減策を立案してください。

6. 顕在リスクの低減策がもたらす効果のモニタリング方法を記載してください。

7. 潜在リスクの低減策がもたらす効果のモニタリング方法を記載してください。

(解答例はP66〜)

1：リスクの洗い出し

	主要原材料の供給元の変更
顕在リスク	
潜在リスク	

2，リスクの大きさ

リスク	重篤度	頻度	検出の容易さ （除外の容易さ）	RPN	優先度

3，リスクと変更の利点の評価

変更によるメリット	その大きさ	変更のリスク （顕在・潜在）からの考察	Riskの大きさ
合計			

変更のメリット，リスクは，1，2，3，で評価
判定は，変更の利点　リスクの大きさの合計で比較する

4，顕在リスク低減策（CAPA）

リスク	リスク低減策	リスク低減策の効果（期待）

5，潜在リスク低減策（CAPA）

リスク	リスク低減策	リスク低減策の効果（期待）

6，リスク（顕在）低減策の効果のモニタリング

リスク	リスク低減策の効果のモニタリング（方法・期間・水平展開）

7，リスク（潜在）低減策の効果のモニタリング

リスク	リスク低減策の効果のモニタリング（方法・期間・水平展開）

解答例

1，リスクの洗い出し

	主要原材料の供給元の変更
顕在リスク	1．品質の同等性 2．反応の同等性 3．安定供給 4．適合性調査の合否
潜在リスク	1．製造場所の安定性（経済的・運営上） 2．地政学的な不安 3．主原料に必要な基礎原料の品質管理 4．GMPコンプライアンスの充足

2，リスクの大きさ

リスク	重篤度	頻度	検出の容易頻度さ （除外の容易さ）	RPN	優先度
品質の同等性	10	10	3	300	1
反応の同等性	10	1	7	70	
安定供給	5	1	3	15	
適合性調査の合否	10	1	1	10	
製造場所の安定性（経済的・運営上）	10	1	3	30	
地政学的な不安	10	1	3	30	
主原料に必要な基礎原料の品質管理	7	3	5	105	2
GMPコンプライアンスの充足	10	3	3	90	3

3，リスクと変更のメリットの評価

変更によるメリット	その大きさ	変更のリスク（顕在・潜在）からの考察	リスクの大きさ
大量供給が可能	5	品質管理（品質の均一性，大量購入義務）	4
第2供給先の確保	5	休眠原料供給先になる可能性，立ち上げに時間を要す	3
安価な供給者	4	品質管理の充足，指導が必要	4
合計	14	＞	11

判定：変更のメリット ＞ リスクの大きさ

4，顕在リスク低減策（CAPA）

リスク	リスク低減策	リスク低減策の効果（期待）
品質の同等性	事前調査（監査）で，品質システムを確認・サンプルを事前に入手しての評価（最低3ロット），継続的にサンプル評価・トレンド分析。	品質が安定・同等の製造所を選択できる。事前サンプル評価で，品質の同等性がある原料を入手できる確率が高くなる。
反応の同等性	少量サンプル，商業用サンプルを入手して，PQ試験を実施し，同等性確認。	事前検討で，PQ，実生産で，異なる反応を誘導する原料を排除できる。
安定供給	財務監査等の実地調査・指導，第3者による評価・年次照査を評価して，トレンド分析。	供給不安の予兆を入手できる。第2供給源への移行への準備が可能。
適合性調査の合否	事前にアンケート（文書監査）および現地監査で，GMP遵守状況の判定（2回）。	GMPの適合性調査に不適になりそうな製造所を除外できる。適合するよう指導する機会・時間がある。

5, 潜在リスク低減策（CAPA）

リスク	リスク低減策	リスク低減策の効果（期待）
製造場所の安定性（経済的・運営上）	会社・経済情報の入手（JETRO，商工会議所の情報など）。	供給不安が低減，継続的供給・改善が期待できる。
地政学的な不安	日頃からの情報収集，第2供給者の確保。	不安な状況になっても，第2供給者から供給が受けられ，生産への影響を最小化。
主原料に必要な基礎原料の品質管理	現地監査，年次品質調査報告書のトレンド分析。	購入原料の品質安定化。
GMPコンプライアンスの充足	現地監査，一般作業員等のインタビュー。	GMP上の問題を含む製造所の選択を排除。

6, 顕在リスク低減策の効果のモニタリング

リスク	リスク低減策の効果のモニタリング（方法・期間・水平展開）
品質の同等性	受入試験結果のトレンド分析，アラート値を設けて，トレンド分析を継続（life span）。
反応の同等性	工程内試験結果，OOTの発生を継続的に分析（life span）。 他の購入原料の変更にも適用。
安定供給	入庫の遅延の有無の確認，経営状況の定期的なモニター，品質情報（逸脱，OOS/OOTの発生情報）の入手（life span）。 現在購入原料すべてに適用。
適合調査の合否	当局の査察情報の入手，FDA HPで査察結果を入手。 購入原料先の再評価を行う。

7, 潜在リスク低減策の効果のモニタリング

リスク	リスク低減策の効果のモニタリング（方法・期間・水平展開）
製造場所の安定性（経済的・運営上）	定期的（例，2年に一度）経営状況の情報を第3機関を通じて入手（life span）。常にすべての購入先を監視。
地政学的な不安	供給先からの情報，公的な情報入手（life span）。 新規製造所を検討時の項目に加える。
主原料に必要な基礎原料の品質管理	現地監査と年次照査項目のトレンド分析（life span）。
GMPコンプライアンスの充足	定期的現地監査，品質情報入手（逸脱，変更管理，OOS発生，年次照査の定期的な報告の有無）（life span）。常にすべての購入先を監視。

5

リスクベース変更管理のSOP

これまで解説してきた内容をまとめ，変更管理の手順書例を示す。

 手順書例

変更管理手順書（プロトタイプ）

目次

1. 目的
2. 適用範囲
3. 変更の定義
   3.1 変更管理の対象
4. 変更の分類
5. 変更管理の基本
6. 変更の手順（自社製品）
   6.1 変更申請準備
   6.2 変更申請の照査
   6.3 変更申請の承認
7. 変更の手順（CMO製品）
   7.1 変更申請準備
   7.2 変更申請の照査
   7.3 変更申請の承認
8. 本手順書で規定する様式

変更管理手順書

1. 目的
本手順書は，ＡＡ製薬株式会社の製造管理，品質管理及びその関連活動に係る変更管理の手順を定めたものである。

2. 適用範囲
本手順書は，ＡＡ製薬株式会社における医薬品の製造管理，品質管理及びその関連活動に係る変更の管理に関する業務に適用される。
直接的もしくは間接的に製品の製造・規格・品質・安全性に関係する全てにかかわる変更を対象とする。

本手順書で規定する変更管理は，当該品目が製造販売承認（一部変更承認を含む）される日又は当該品目の開発の中止が決定する日までの期間に行われる変更に適用する。

3. 変更の定義
承認された物，機器，手順，規格及び承認事項に変更を加えることである。
変更の顕在・潜在するリスクを評価して，変更が医薬品の品質に及ぼす影響・リスクを許容できる限度以下に管理して，品質保証責任者の承認を受けて変更を行うための管理，品質保証部門の有資格責任者による，バリデートされた状態に対する，予定または実施された変更の影響を評価・承認する公式の管理方式である。その目的は，システムが検証された状態に維持されていることを保証するために必要な実施事項を決定することである。

3.1 変更管理の対象
以下の事項については，変更管理の対象にしなければならない；
1. 原材料
1.1. 原料の変更
1.2. 原料供給元の変更
1.3. 一次包装材の変更
1.4. 組成，工程，機械設備，施設又は有効期間を含め，第三者から提供された原料，中間製品又は最終製品又は包装材料／ラベル表示に関する変更。
2. 工程
2.1. 製造工程の変更

2.1.1 処方の変更

2.1.2 製造方法の変更（製造設備，運転条件，工程内管理項目を含む）

2.2. 他の製造サイトへの変更

2.3. 有効期限の変更

2.4. バッチサイズの変更

3. 施設／機械設備／システム

3.1. 重要製造変数の変更

3.2. 場所・ラインの変更

3.3. 機械設備又は器具類の変更

3.4. 検証済みコンピュータシステムの変更

3.5. 校正，保守点検間隔の変更

4. 文書

4.1. SOP／作業手順書（清掃，校正など）の変更 （文書管理で，変更管理する場合もある）

4.2. 製品標準書の変更

4.3. 生産作業指示書の変更

4.4. 包装作業指示書の変更

4.5. ラベル表示の変更

4.6. バリデーション計画書の変更

4.7. 技術文書の変更

5. 分析

5.1 原料の規格の変更

5.2 原料の試験方法の変更

5.3 製剤の規格の変更

5.4 製剤の試験方法の変更

5.5 試験計画書又は最終報告書の変更

5.6 試験成績書の変更

5.7 治験薬の使用期限の変更

5.8 標準物質のリテスト日又は使用期限の変更

5.9 その他製品標準書の内容に関する変更

5.10 外部試験機関の利用

6. GMPの組織

6.1 管理者の変更（届出済み）

6.2 重要工程担当者の変更

4. 変更の分類

変更は内容の重要度に応じてクラス分類する。クラス分類は以下を参考とし，各サイトの運用においてさらに詳細な分類を設けてもよい。

1) クリティカルな変更（薬事対応必要）：品質に重大な影響を及ぼす変更として，新規承認または承認事項の一部変更申請を要する変更

2) 重大な変更（薬事対応必要）：品質に影響を及ぼす可能性がある変更で，軽微変更届に該当する変更

（ア）重大な変更（薬事対応必要なし）：薬事対応の必要はないが，品質に影響を及ぼす可能性がある変更

3) 軽微な変更：品質に影響を及ぼす可能性が低いか，または品質への影響がないと判断される変更

5. 変更管理の基本

5.1. すべての変更は，正式な文書をもって申請され，製品品質への影響や承認事項など薬事上のコンプライアンスについて正しく評価されなければならない。

5.2. すべての変更は，品質保証部門により承認され，また必要に応じて，品質管理，生産，研究開発，施設管理，薬事部門など関連する部門の管理責任者により承認されなければならない。

5.3. 変更管理の過程は，施設，システム，機械設備，工程や原材料等に行われた変更が適切な管理下において実行されたことを保証するため，文書化されなければならない。

5.4. 変更をモニターし文書化するシステムが揃っていることを保証するため，変更手順はあらかじめ承認されなければならない。

6. 変更の手順（自社製品）

各サイトの変更管理手順には以下の手順を含めること。

6.1 変更申請準備

6.1.1. 変更申請は定められた書式（別添変更申請書）に従い，文書にて準備する。

6.1.2. 起案部署の責任者は，申請内容を照査し，定められた手順に従っていること，変更内容の妥当性について照査・確認する。必要に応じ，変更申請の詳細を別紙として添付する。必要に応じ品質への影響・リスク分析・評価に関する根拠資料，根拠データを添付する。また，変更で得られる利益が変更を行うことに伴う顕在・潜在的リスクより有意に大きいことを照査した結果・説明を添付する（変更で得られる利益が変更を行うことに伴う顕在・潜在的リスクより有意に小である場合は，リスク低減策も準備する）。

6.1.3. 各サイトの品質保証部門に申請する

6.2 変更申請の照査

6.2.1. 変更申請は，品質保証部門により受領される。

6.2.2. 品質保証部門は，提出された変更申請書を照査して，申請書の内容・関連資料（リスク分析評価・品質影響調査）の妥当性を確認する。変更が不適である，またはリスク低減策・品質影響の低減策が不備と判断される場合は，申請書を却下する。
また，品質保証部門は，照査した変更申請書は，関連部門の責任者による変更内容，品質への影響・リスク分析・評価に関する根拠資料，根拠データの確認を依頼する。またバリデーションの必要性等について適切な評価と判断を依頼する。

6.2.3. 内規・契約等で連絡が必要な場合は，変更申請内容について関連部門（グループ品質保証責任者）へ報告する。

6.2.4. 変更にあたり承認事項の一部変更承認申請など薬事対応が必要な場合は，速やかに薬事関係部門へ連絡する。

6.2.5. 変更内容の重要度に応じて，変更申請をクラス分類する。

6.3 変更申請の承認

6.3.1. 品質保証部門は，変更が正当な理由に基づくものであること，関連部署により変更の妥当性につき十分な調査・リスク低減策が準備されていることを確認する。

6.3.2. 品質保証部門は，変更にあたりリスク低減策／バリデーションが必要と判断された場合には，バリデーション計画書の作成を指示する。

6.3.3. 品質に影響を及ぼす可能性のある変更を行う場合は，変更前後で品質に変わりがないことを示す科学的な根拠が必要である。重大な変更を行う場合は，原則として変更後の連続3ロットについて品質確認を行うバリデーションを計画するとともに，必要に応じて安定性試験を実施する。

6.3.4. 品質保証部門は，変更前の調査の妥当性を確認し，変更の実施を承認する。内規・契約等で連絡が必要な場合は，変更申請内容につき関連部門（グループ品質保証責任者）へ報告する。

6.3.5. 品質保証部門は，6.3.1～6.3.4の結果を照査して，変更が妥当と認められれば変更を承認する。

6.3.6. 品質保証部門は，6.3.1～6.3.4の結果を照査して，変更の妥当性が十分証明されなければ，起案部署に差し戻し，再考を指示する。

6.4 変更実施と影響調査

6.4.1. 品質保証部門は，変更にあたり実施されたバリデーション等の結果を確認し，変更により品質への影響がないことを確認する。また変更内容が手順書等に反映され，教育訓練等が適切に実施されていることを確認する。

6.4.2. 品質保証部門は，変更管理が適切に実施されたことを確認し，承認する。内規・契約等で連絡が必要な場合は，変更申請内容について関連部門（グループ品質保証責任者）へ報告する。

6.5 記録と確認

6.5.1. 品質保証部門は変更申請から実施前の調査，変更の実施，変更実施と影響調査までの文書記録を変更管理の記録として保存する。

6.5.2. 品質保証部門は変更後の追跡調査の要否を判定する。少なくとも年次製品品質評価にて，変更の影響の確認を行う。

6.5.3. 品質保証部門は全ての変更申請から実施前の調査，変更の実施，変更実施と影響調査までの文書記録を照査して，変更管理を承認する。変更完了の妥当性が十分証明されなければ，変更申請書を起案部署に差し戻し，変更前に戻すことを指示する。

6.5.4. 製品の出荷判定前に，関連する重要な変更管理の最終報告書が完成していない場合は，変更内容が出荷判定に影響しないことを示すため，変更管理の中間報告書を作成する。

7. 変更の手順（CMO製品）

変更管理手順には以下の手順を含めること。

7.1 変更申請準備

7.1.1. 変更申請は定められた書式（別添変更申請書）に従い，文書にて準備する。

7.1.2. 起案部署の責任者は，申請内容を照査し，定められた手順に従っていること，変更内容の妥当性について照査・確認する。必要に応じ，変更申請の詳細を別紙として添付する。必要に応じ品質への影響・リスク分析・評価に関する根拠資料，根拠データを添付する。また，変更で得られる利益が変更を行うことに伴う顕在・潜在的リスクより有意に大きいことを照査した結果・説明を添付する（変更で得られる利益が変更を行うことに伴う顕在・潜在的リスクより有意に小である場合は，リスク軽減策も準備する）。

7.1.3. 品質保証部門に申請する

7.2 変更申請の照査

7.2.1. 変更申請は，品質保証部門により受領される。

7.2.2. 品質保証部門は，提出された変更申請書を照査して，申請書の内容・関連資料，リスク分析・評価・品質影響調査の妥当性を確認する。変更が不適である，または，リスク低減策・品質影響の低減策が不備と判断される場合は，申請を却下する。また，品質保証部門は，照査した変更申請書は，関連部門の責任者による変更内容，品質への影響・リスク分析・評価に関する根拠資料，根拠データの確認を依頼する。またバリデーションの必要性等につき適切な評価と判断を依頼する。

7.2.3. GQP覚書等で定められている場合は，変更申請内容につきCMO依頼主のGQP部門（品質保証責任者）へ報告する。

7.2.4. 変更にあたり承認事項の一部変更承認申請など薬事対応が必要な場合は，速やかに関係部門へ連絡する。

7.2.5. 変更内容の重要度に応じて，変更申請をクラス分類する。

7.3 変更申請の承認

7.3.1. 品質保証部門は，変更が正当な理由に基づくものであること，関連部署により変更の妥当性につき十分な調査・リスク低減策が準備されていることを確認する。

7.3.2. 品質保証部門は，変更にあたりリスク低減策・バリデーションが必要と判断された場合には，バリデーション計画書の作成を指示する。

7.3.3. 品質に影響を及ぼす可能性のある変更を行う場合は，変更前後で品質に変わりがないことを示す科学的な根拠が必要である。重大な変更を行う場合は，原則として変更後の連続3ロットについて品質確認を行うバリデーションを計画するとともに，必要に応じて安定性試験を実施する。

7.3.4. 品質保証部門は，変更前の調査の妥当性を確認し，変更の実施を承認する。GQP覚書等で定められている場合には，変更申請内容につきCMO依頼主GQP部門（品質保証責任者）の承認を得る。

7.3.5. 品質保証部門は，7.3.1～7.3.4の結果を照査して，変更が妥当と認められれば変更を承認する。

7.3.6. 品質保証部門は，7.3.1～7.3.4の結果を照査して，変更の妥当性が十分証明されなければ，起案部署に差し戻し，再考を指示する。

7.4 変更実施と影響調査

7.4.1. 品質保証部門は，変更にあたり実施されたバリデーション等の結果を確認し，変更により品質への影響がないことを確認する。また変更内容が手順書等に反映され，教育訓練等が適切に実施されていることを確認する。

7.4.2. 品質保証部門は，変更管理が適切に実施されたことを確認し，承認する。GQP覚書等で定められている場合は，CMO依頼主GQP部門（品質保証責任者）へ変更管理の終了報告を行う。

7.5 記録と確認

7.5.1. 品質保証部門は変更申請から実施前の調査，変更の実施，変更実施と影響調査までの文書記録を変更管理の文書記録として保存する。

7.5.2. 品質保証部門は変更後の追跡調査の要否を判定する。少なくとも年次製品品質評価にて，変更の影響の確認を行う。

7.5.3. 品質保証部門は全ての変更申請から実施前の調査，変更の実施，変更実施と影響調査までの文書記録を照査して，変更管理を承認する。変更完了の妥当性が十分証明されなければ，変更申請書を起案部署に差し戻し，変更前に戻すことを指示する。

7.5.3. 製品の出荷判定前に，関連する重要な変更管理の最終報告書が完成していない場合は，変更内容が出荷判定に影響しないことを示すため，変更管理の中間報告書を作成して，CMO依頼主に報告し，出荷判定を依頼する。

7.7. 関連法規により法的要件となっている場合，製品に係る変更は製品品質レビューの中に要約されていなければならない。

8. 添付書類・様式

8.1. 変更申請書

8.2. 変更実施記録書

改訂履歴

版番号	改訂年月日	改訂内容
第1版		新規制定

記録様式例

手順書に付属する，変更申請，記録様式の例を示す。

（1）変更申請書

様式 I　　申請日：　　2017　　　　　　　　　　　　文書No.　　2017-

変更申請書

品目名	
機器名，施設名	
起案部署	
変更内容	
変更理由・得られる利益	
変更の根拠資料	□有　　　　□無
本変更の影響を受ける文書類	
顕在，潜在的リスクの大きさ（リスク分析・評価の結果）添付	
変更に伴うリスクと得られる利益の釣り合い（現状，リスクが利益より大きい場合はリスク低減後の予想比較値）	
品質への影響	□重大　□中程度　□軽微
リスク低減策実施後の顕在，潜在的リスクの大きさ（リスク分析・評価の結果を添付）予想	
リスク低減策後の品質への影響	□重大　□中程度　□軽微

起案	確認	照査
	試験責任者	品質保証責任者
／　／	／　／	／　／

品質保証部門記入欄		
変更の妥当性の評価，リスク低減策の有効性	品質への影響：　　　　□重大　□中程度　□軽微	
	リスク低減策	
	GMP委員会の開催：　　　□有　　　　□無	
	根拠資料・根拠データの確認，検討，評価：	
変更検討開始の可否の判定	□可　　　　□不可	
	年　　月　　　品質保証 ：　　　　　　印 　　　　　　　　責任者	

76

（2）変更実施記録書

様式II   文書No.   2017-

変更申請書の 文書No.	
品目名	
機器名，施設名	
起案部署	
変更事項	
変更検討実施内容	
改訂された文書類	
教育訓練実施日	年　　　月　　　日
教育訓練記録書No.	
リスク低減策実施後の 顕在，潜在的リスクの 大きさ（リスク分析・ 評価の結果）添付	
リスク低減策後の品質 への影響	□重大　□中程度　□軽微
変更後の 品質への影響の 評価，リスク分析・評 価（詳細）	
	影響調査期間：　□　3lot　□　　　　か月

	報告	確認	照査
		試験責任者	品質保証責任者
	／　／	／　／	／　／

品質保証部門記入欄	
変更後の影響評価，リ スク分析・評価の判定	
承認	年　　　月　　　品質保証　： 　　　　　　　　責任者　　　　　　　　　印

変更申請の書き方例

(1) 前提条件
- TB開発Code AAA。ブリスター包装である。
- 資材は，PVC（125micro），アルミ箔である。
- 試験サンプルを室内に放置していると，表面のコート層に，しわ・斑点が見られた。
- このしわ・斑点は，水分が原因であることが容易に推測された。
- 治験用のサンプル製造時期が切迫している。
- コート工程を見直すことは，コート剤のスクリーニング等を行っての一変申請が必要になるため，包装材の変更を希望。
- このTBの原薬は，光分解の懸念がある。

(2) 対策案
- コート工程の見直し
- 包装資材の変更
- 処方の見直し

(3) 変更の検討
- PVCは，水分透過性，光透過性が認められている
- PVCの基礎データ
- 水分透過性，光透過性を防ぐ素材の選択
- PVC技術資料から，水分透過性，光透過性を評価：NG
- HDPE：同上

(4) 変更申請の起案
(次ページへ)

SGMP様式 CC/OI-01　　　　　　　　　　　　　　　　　文書No.　　　CC/01-01-

変更申請書

開発番号	開発CodeAAA
起案部署	製剤開発G
変更内容	TB開発CodeAAAを開発中，包装資材は，ブリスター PVC（125micro），アルミである。今後製造する治験用サンプルを，両面アルミ製のブリスター（PTP）包装に変更する。
変更理由	PVCフィルムは，水分透過能を持ち，長期保存した場合，透過した水分がTBに吸収され，表面コートに微細な穴を生じる可能性があるため，水分透過性のより低い両面アルミ製の包装容器に変更。原薬は，光による分解が促進される可能性がある。さらにコートに水分による微細な穴，損傷ができた場合，光が錠剤内原薬の分解を促進する可能性がある。
リスク評価	現状の包装容器では，明所での長期保存で，原薬の分解が促進して，不純物プロファイルの変化，含量低下が起こるリスクがある。包装容器の変更で，申請時に長期安定性試験結果を揃えることができなくなる可能性があり，使用期限内の品質維持を保証できない。
変更の根拠資料	☑有　　PVC水分透過性試験結果，　　　　　□無
本変更の影響を受ける文書類	製品標準書，長期安定性試験結果
品質への影響	☑重大　　□軽微

起案	確認	照査
	試験責任者	品質管理責任者
／　／	／　／	／　／

品質保証部門記入欄	
	品質への影響：　　　　　　　□重大　　　□軽微
	GMP委員会の開催：　　　　　□有　　　□無
変更の妥当性の評価	根拠資料・根拠データの確認，検討，評価：
変更の可否の判定	□可　　　□不可 年　　　月　　品質保証　：　　　　　　　印 　　　　　　　　責任者

文書No. CC/01-02-

O

変更実施記録書

変更申請書の 文書No.	CC/01-01-
変更検討事項	変更予定包装(両面アルミ製のブリスター(PTP)包装)を用いたTBを試製造して,過酷下の保存安定性試験を行い,TBの保存安定性を現行包装と比較する。
変更後のリスク評価	TB表面コートがダメージを受けること,原薬の不純物プロファイルが初期値と比較して変化・含量低下が抑制されてリスク低下。包装資材の変更で,検証試験,安定性試験の時間的制限がリスクとなるが,過酷試験の実施で検証可能。包装資材の変更で,作業の切り替えのリスクは通常の包装変更であり,リスクは低い。
変更実施内容	過酷保存条件:2500Lux,RH80%以上に保たれているLight chmaberに144時間保管して,現行包装と比較する。TBの包装製造のしやすさを比較。過酷試験後,長期安定性試験を開始。指標は不純物プロファイルの変化・水分値の変化。確認後,加速保存安定性試験を実施する。
変更承認時,改訂文書類	製品標準書,包装指示書
教育訓練実施日	年　　　月　　　日
教育訓練記録書No.	
変更後の 品質への影響の 評価	過酷試験(2週間)の結果,コート表面の損傷,水分値,不純物プロファイルの変化は認められなかった。3カ月の加速保存安定性試験で,中間結果として,コート表面の損傷,水分値,不純物プロファイルの変化は認められなかった。

報告	確認	照査
	試験責任者	品質管理責任者
/　　/	/　　/	/　　/

品質保証部門記入欄	
変更後の 評価に対する コメント	
承認	年　　　月　　　品質保証 責任者　　:　　　　　　印

3章

FDA warning letter および EMA non-compliance report にみられる変更管理の不備

key note

　変更管理に際しては，前章までに述べたとおり，リスクベースによる品質への影響評価などが必須になってくる。本章では，欧米の規制当局によるGMP査察において，変更管理の不備が原因となって発せられた指摘事例を紹介する。
　また，日本も含め世界中で製品回収が行われる事態になった，バルサルタン原薬への不純物混入の事案を紹介する。

米国FDAの変更管理に関する考え方

 規制上の要件

　1章でも紹介したように，変更管理に関する米国FDAの法的根拠は，CFR 211.100（下記）に記述されている。

> § 211.100 Written procedures; deviations. (a) "There shall be written procedures for production and process control designed to assure that the drug products have the identity, strength, quality, and purity they purport or are represented to possess. Such procedures shall include all requirements in this subpart. These written procedures, including any changes, shall be drafted, reviewed, and approved by the appropriate organizational units and reviewed and approved by the quality control unit."
>
> **意訳**
> CFR 211.100
> (a)製造及びプロセス管理については，医薬品の設計された，または保有しているとして承認された，真正性，力価，品質および純度を保有することを保証するための文書化された製造・製造管理手順が準備されねばならない。この文書化された手順は，いかなる変更を含め，適切な部署・部門によって起案，照査され，承認されること。品質部門は，照査，承認を行うこと。

また，「Guidance for Industry Quality Systems Approach to Pharmaceutical CGMP Regulations」には，変更管理に要求される事項が次のように発表されている。

Guidance for Industry Quality Systems Approach to Pharmaceutical CGMP Regulations
E. Change Control
Change control is another well-known CGMP concept that focuses on managing change to prevent unintended consequences. The CGMP regulations provide for change control primarily through the assigned responsibilities of the quality control unit. Certain major manufacturing changes (e.g., changes that alter specifications, a critical product attribute or bioavailability) require regulatory filings and prior regulatory approval (21 CFR 314.70, 514.8, and 601.12).

Effective change control activities (e.g., quality planning and control of revisions to specifications, process parameters, procedures) are key components of any quality system. In this guidance, change is discussed in terms of creating a regulatory environment that encourages change towards continual improvement. This means a manufacturer is empowered to make changes subject to the regulations based on the variability of materials used in manufacturing and process improvements resulting from knowledge gained during a product's lifecycle.

意訳

変更管理は，意図せぬ結果を防ぐために変更を管理することに着目したもう1つのGMPの概念である。CGMP規則は主に，品質管理部門が負う責任を通じて変更管理を規定している。特定の主要な製造上の変更（たとえば，規格，重要な製品特性・属性または生物学的利用能を変更する）には，変更申請と事前の承認が必要である（21 CFR 314.70，514.8，および601.12）。

効果的な変更管理（たとえば，品質計画，規格，プロセスパラメータ，手順）は，品質システムの重要な要素である。このガイダンスでは，継続的改善への変更を促進する環境の構築という観点から，変更が議論されている。つまり，製薬企業は，製品のライフサイクルで得られた知識によって，製造に使用される材料のばらつきやプロセスの改善に基づいて，規制内で変更を行う権限を与えられている。

これらの法令，ガイドに基づき，GMP査察・監査で"変更管理システム"の監査に必要な要素をまとめると，以下のようになる。

---

1. 品質システムの中に変更管理が含まれているか。
2. 品質に影響を及ぼすかもしれないすべてのリスク（可能性）が含まれているか，購買，輸送，出荷システムも包括しているか。
3. 品質システムは，委託業務も含んでいるか，CMO/CROの変更管理も照査・承認しているか。
4. 新たに導入される医薬品（新薬，後発品を問わず）を対象にしているか，交叉汚染のリスクの観点から変更管理を評価しているか。
5. 責任体制が明確化されているか，変更管理に携わる担当者は適切か，プロジェクトマネージャー，製品責任者，コーディネーター等の責任者の適格性は検証してあるか。
6. 品質責任者がかかわっているか。
7. それぞれの専門家（技術）が，変更管理，およびそのリスク分析・評価に加わっているか。
8. 変更管理に品質部門，薬事部門が参加しているか。

これらの視点で，FDA査察官は各製造所を査察し，これらの項目に欠陥があれば，指摘事項として483文書を発出する。次節に，483文書に対する回答（CAPA）をFDAが不十分と判断したときに発出されるWarning Letter（WL）を参考に，FDAが期待するCAPAについて解説する。

Warning letterおよび non-compliance reportの事例

 品質部門の体制，文書管理等に不備があった例

Warning Letter 320-17-43　August 1, 2017

1. Your firm failed to establish an adequate quality control unit and procedures applicable to the quality control unit with the responsibility and authority to approve or reject all components, drug product containers, closures, in-process materials, packaging materials, labeling, and drug products　(21 CFR 211.22(a) and (d)).

意訳

1. 貴社は，品質部門を組織し，品質管理部門に適用される手順（すべてのコンポーネント，医薬品の容器，中間体，包装材，表示および医薬品）を承認もしくは不適合であると判断する権限と責任を持つ体制を確立することができなかった（21 CFR 211.22（a）および（d）））。

Your firm lacks an adequate quality control unit.

You failed to establish written procedures for numerous functions. For example, there were no procedures　addressing the quality control unit, complaints, deviations, investigations, and various other basic drug　manufacturing operations.

Further, your quality unit lacked documentation to demonstrate acceptability of batch manufacturing and quality.

意訳

貴社は，数多くの機能について書面による手続きを確立することができていない。たとえば，品質管理部門，苦情，逸脱，調査，およびその他のさまざまな基本的な業務に対処する手順がなかった。さらに品質部門には，バッチ製造と品質の適合判定の文書がなかった。

For instance, you lacked records relating to:

change control;

annual product reviews;

batch record review to assure that any errors were fully investigated; and   approval or rejection of your drug products.

In addition, for the past three years, your quality unit consisted of (b)(4) employee from the production   department, whose responsibilities included recording information in batch records during operations.

意訳

たとえば，次のような記録がなかった。

- 変更管理
- 製品年次レビュー
- すべてのエラーが完全に調査されたことを保証するためのバッチ記録レビュー
- 医薬品の適合，不適合判定情報

さらに過去3年間，貴社の品質部門の分析者は，生産部門の従業員が兼務していた。その責任には，運用中にバッチ記録に情報を記録することが含まれていた。

In response to this letter, provide your corrective actions   to ensure that:

you establish an adequate quality control unit with the appropriate authority and sufficient resources to carry   out its responsibilities and consistently ensure drug quality;

you establish adequate procedures in accord with CGMP covering all aspects of your facility and operations   that may compromise the identity, strength, quality, and purity of your drug products; and   you create and maintain full documentation to demonstrate acceptability of all operations.

意訳

このWLへの回答には，以下のことを確実にするためのCAPAを提供すること。
- 適切な権限と責任を果たし，一貫して医薬品の品質を保証するのに十分なリソースを備えた適切な品質管理部門を設置する。
- 医薬品の確認試験，力価，品質，および純度に影響を与える可能性のあるハード・ソフトのすべての事項について，CGMPに即してリスク評価し，リスクを低減する手順，およびその文書。

解説

このWLは，コンプライアンスが欠如した製造所に向けて発出されている。この製造所は，GMP組織が確立されておらず，変更管理を含め関連するシステムが未熟であった。FDA査察官が発出した483文書には，GMPの基本的なシステムの再構築が言及されていたが，この483文書に対して，小手先の改善のみ記述して，根本的なGMP再建に言及していなかったため，WLが発出された。FDAは，適切なコンサルタントを起用して，体制の再構築を期待する。

製造部門で使用した出発物質，工程管理試験記録等の変更・文書管理に不備があった例

Warning Letter 320-17-19　January 19, 2017

1. Failure to establish and follow change controls to evaluate all changes that could affect the production and control of intermediates or API.
Your firm failed to conduct adequate change controls prior to the use of each working cell bank. For example, your firm has used working cell banks (b)(4) for the production of drug substance and drug product batches of Erwinaze®. Your firm previously used only working cell banks (b)(4) for production of Erwinaze® drug substance and drug product batches. You failed to ensure sufficient change control oversight to assure the (b)(4) new working cell banks were acceptable for use in the commercial operation.
You manufacture Erwinaze® under contract on behalf of Jazz Pharmaceuticals, which holds the Biologics License Application for Erwinaze®. The process changes discussed above were not approved by FDA before you manufactured, or your customer, Jazz, distributed, Erwinaze®. Specifically, working cell banks (b)(4) were used in commercial production prior to approval. These working cell banks were not reviewed and approved by the Agency for their suitability for

Erwinaze® manufacture, even though the changes in the source material or cell line have a substantial potential to adversely affect the identity, strength, quality, purity or potency of Erwinaze®.

意訳

1.中間体または原薬の製造および品質管理に影響を与える可能性のあるすべての変更を評価するための変更手順を準備していなかった。

貴社は，各ワーキングセルバンクの使用前に，適切な変更管理を行っていなかった。たとえば貴社はErwinaze®の医薬品および医薬品バッチの製造にワーキングセルバンク(b)(4)を使用していた。

貴社は，新しいワーキングセルバンクが商業運転での使用に容認されることを保証するために，十分な変更管理の監督を保証することをしていなかった。

貴社はErwinaze®のライセンス申請書を保有するJazz Pharmaceuticalsに代わってErwinaze®を製造していた。プロセスの変更は製造する前にFDAまたは依頼主のJazz Pharmaceuticalsによって承認されたものではなかった。これらのセルバンクは，原材料または細胞株の変更がErwinaze®の同一性，強度，品質，純度または効力に悪影響を与える可能性が高いにもかかわらず，承認前に変更したワーキングセルバンクを用いて商業生産を行った。

解説

　これは悪質な製造所の例である。FDAの査察官がCMOを査察し，委託主の許可なく培養に用いる親株を変更したことを発見した。

　さらにこの変更による品質の影響調査が行われておらず，また483文書への回答とするCAPAは表面的であった。FDAのWL発出にもかかわらず，受領を拒否している。この場合，このWLは，委託元に影響を及ぼすこととなる。このWLから，技術移転の手順不備が追及される可能性がある。

品質試験室で試験法の変更が行われたが，変更管理に不備があった例

Warning Letter 320-17-41　July 6, 2017

2. Your firm failed to establish laboratory controls that include scientifically sound and appropriate specifications, standards, sampling plans, and test procedures designed to assure that

components, drug product containers, closures, in-process materials, labeling, and drug products conform to appropriate standards of identity, strength, quality, and purity (21 CFR 211.160(b)).

You do not require your (b)(4) products to be tested for particulates prior to release. Notably, our investigator observed repeated instances of high particle count alarms during production of (b)(4) lot (b)(4) on December 2, 2016.

An addendum to your change control document (CC-QA_006-16), signed December 9, 2016, addresses the need for particle testing of finished products, and references USP 39. The addendum states that you "will need to implement this testing and make it a part of the product specification." However, your response did not describe actual implementation of particulate testing. Particulate contamination can pose a hazard to the (b)(4).

In response to this letter, provide your implementation plan to test for particulate matter in (b)(4) drug products.

Include your revised drug product specifications and your written procedure regarding in-process inspection of units for visible particles.

意訳

2. 貴社は，有効成分，容器，栓，工程中の材料，ラベル，医薬品が適切に適合することを保証するように科学的に健全で適切な仕様，標準，サンプリング計画，試験手順を含む品質試験室の管理ができていなかった（21 CFR 211.160（b））。

製品は，出荷前の微粒子検査実施が定められていなかった。特にFDA査察官は，2016年12月2日に製品のあるロットの製造中に高い粒子数が認められアラームが繰り返しだされていることを観察した。

2016年12月9日に署名された変更管理文書（CC-QA_006-16）の補遺は，完成品の粒子試験の必要性に対処しており，USP 39を参照している。この補遺では，「このテストを実装し，それを製品仕様の一部にする必要がある」と述べているが，貴社の回答には，実際の微粒子テストの実装について記載されていない。

粒子状物質の混入は，製品に危険をもたらす可能性がある。このWLに対するCAPAとして，製品の粒度分布を検査するための実施計画を立てることを要求する。

改定する医薬品の規格，手順には，目視による粒度分布測定を工程管理に含めること。

解説

　このWLでは，変更管理・品質検査手順（粒度測定）と実際の手順に離齬があることをFDA査察官が観察している。しかし，この製薬企業は483文書への回答で，CAPAとして品質検査（粒度測定）を実施することに言及しなかったことで，WLが発出された。

　FDAは，483文書に対する回答のCAPAとして，実施していなかった逸脱処理，粒子

測定を品質管理項目に加えることを求めていた。それが，FDAに提出されたCAPAには含まれていなかったということである。

この場合，期待されるCAPAは，FDA査察官の指摘した483文書（手順どおりしていない）に対して，欠陥を素直に認め，まずは手順に準拠していないことの逸脱処理とその是正策を記述し，実施していない品質試験実施を遵守することである。

工程変更における影響調査に不備があった例

Warning Letter 320-16-27　August 12, 2016

2. Failure to evaluate the potential effect that changes in the manufacturing process　may have on the quality of your API.

Our inspection documented that you modified the manufacturing process multiple times for (b)(4) API. Your quality unit did not approve these changes, nor did you document them through a change control review process. Furthermore, you did not place samples from any of the batches produced through modified processes in your stability monitoring program to assess the effects of these changes on the quality of your API throughout the expiry period.

In your response you referenced stability data from batches not manufactured using the modified processes discussed above. Your response is inadequate because you do not have stability data to demonstrate that your API meets specifications throughout its expiry period.

意訳

2.製造プロセスの変更が原薬の品質に及ぼす可能性のある影響を評価することができていない。

貴社の検査では，原薬の製造プロセスを複数回修正したことが記載されている。貴社の品質部門はこれらの変更を承認しておらず，変更管理レビュープロセスでは文書化していない。さらに安定性試験プログラムでは，変更されたプロセスで製造された原薬の保存安定性を検証して，有効期限に影響がないことを検証していない。

貴社の483文書への回答では，上記の変更されたプロセスではないプロセスによって製造された原薬を引用し，有効期限に影響がないことを述べていた。変更後のプロセスで製造された原薬が，有効期限中，承認された有効期限を満たしていることを証明する安定性データがない。よって，貴社の対応は不十分である。

解説

このWLでは，FDAが査察した製造所のコンプライアンスに関して大きな懸念と重

大な品質上のリスクの存在を表明している。

　特に，"Your response is inadequate"（貴社の対応は不十分である）との記述から読み取れるように，FDAの持った品質・安全性の疑念を払しょくするには不十分な483文書への回答であったと同時に，作為的なデータの隠蔽・すり替えを行っていたとFDAは判断している。

　この場合，483文書に対しては，正直に返答することが求められる。GMPで求められている変更管理の手順を行っていなかった。さらに変更後プロセスで製造した医薬品の保存安定性試験も行っていなかった。この事実を認めることが出発点であったが，それを恣意的に隠した。

　このこと自体がWL発出に値するため，GMP体制を見直すことの宣言が必要とされる。このWLからは，品質保証部門がその責務を果たしていない，もしくはその正常な責務を行使していないことが推察される。GMPコンプライアンス体制の見直し，隠蔽体質の打破が必要となる。

供給者，原料の変更に際して，影響調査（リスク分析）に不備があった例

Warning Letter 320-16-12　May 16, 2016

2. Failure to establish and follow a change management system evaluating all changes that could affect the production and control of your API, and failure to evaluate the potential effect changes may have on the quality of your API.

Your firm did not have a change management program. You did not require the quality unit to review or approve changes in suppliers. In 2012, your firm changed your crude (b)(4) supplier from (b)(4) to (b)(4). In 2013, you added (b)(4) to your list of suppliers. You did not provide change management documentation or any other documentation for these supplier changes.

Without adequate evaluation for critical raw material changes, you could not assure the acceptability of your API manufactured using materials from different suppliers.

Your response was inadequate because you failed to provide any information regarding the effect of supplier changes on the distributed API, such as the effect of changes on the impurity profile or the stability of your API.

In response to this letter, provide the following:

- a plan to establish and follow a change management program
- an evaluation of the changes on the impurity profile and stability for your API
- a risk assessment regarding the effects of your supplier changes on the distributed API

意訳

2. すべての変更が原薬の製造と管理に影響する可能性があるかの評価，また変更が原薬の品質に潜在的な影響を及ぼす影響を評価する変更管理システムを確立できていなかった。

貴社は変更管理プログラムを持っていなかった。供給者の変更をレビューしたり承認したりすることを，品質部門に要求していなかった。2012年，貴社は原材料〔ProductA〕の供給者をA社からB社に変更した。2013年に供給者のリストにC社を追加した。しかし，これらの供給者の変更については，変更管理文書またはその他の文書が存在していなかった。

重要な原材料の変更を適切に評価しなければ，異なる供給者の材料を使用して製造された原薬の品質を保証することはできない。

不純物プロファイルの変化や原薬の安定性の影響など，サプライヤー変更の影響に関する情報を提供できなかったため，貴社の対応は不十分である。このWLへの回答として，以下を提供すること。

- 変更管理プログラムを確立し，それを遵守する計画
- 変更後の原薬の不純物プロファイルと安定性の変化の評価
- 供給者の変更が原薬に与える影響に関するリスク評価

3. Failure to adequately investigate out-of-specification (OOS) results.

During the inspection, our investigators documented that lot #(b)(4) was rejected after it failed in-process control testing for the (b)(4), which is deemed a critical in-process control (including the control point and method) for your API. Although your investigation identified the supplier change as a possible root cause for the failure, you did not evaluate other lots made with crude (b)(4) from the same supplier. For example, you used the same crude (b)(4) from the new supplier in API lot #(b)(4), which you failed to evaluate before shipping to the United States.

We acknowledge your commitment to follow an updated SOP requiring a root cause analysis for in-process OOS results. However, your response was inadequate because it did not assess the effects of the failure to adequately investigate in-process OOS results or indicate how this failure may have affected your API quality.

In response to this letter, provide a comprehensive assessment of all in-process OOS results for (b)(4), including root causes. Extend this assessment to other batches that might have been affected. Also provide a detailed evaluation of all in process attributes and parameters in terms of their roles in the process and impact on the product and in-process material.

意訳

3.規格外（OOS）の結果を適切に調査できていない。

査察中にFDA査察官は，ロット番号#（b）（4）が，（b）（4）の工程内管理試験に合格しなかったため不適合にしたことを文書化した。それは，原薬にとっては重要工程の試験と思われた。貴社の調査では，供給者の変更が不適合の根本原因の可能性があると判断したが，同じ原料供給者からの（b）（4）で作られた他のロットは影響評価されなかった。たとえば，原薬ロット番号#（b）（4）の新しい供給者の同じ粗原料（b）（4）を使用したが，これは米国に出荷される前に影響調査がなされていない。

工程内試験のOOS結果の根本原因分析を定義した最新のSOPに準拠して調査している貴社のコミットメントを認める。ただし，工程内のOOS結果を適切に調査できなかったり，この不適合・OOSが原薬の品質にどのような影響を与えたかを評価していないため，貴社の対応は不十分である。

このWLに対して，（b）（4）のすべての工程内試験OOS結果の包括的な評価を根本原因も含めて提供すること。そして影響を受けた可能性がある他のバッチに，この影響調査を拡大すること。また，プロセス内での役割と製品およびプロセス中の材料への影響に関して，すべてのプロセス属性およびパラメータの評価を提供すること。

解説

　このWLからみえるFDAが持つ大きな懸念点は，原料の供給者を変更したが，その変更が医薬品に及ぼす影響を評価していなかったことである。さらにOOSが発生し，その原因が新しい原料を使用したことに起因すると推察されるにもかかわらず，OOSの原因調査が広範囲に十分に行われていないことも問題である。しかも，そのOOS調査が行われていない医薬品が米国向けであったことから，FDAはこの製造所は大きなリスクを持っていると判断した。

　製造所は483文書に対して，①原料供給先の変更時，品質の影響を評価することを含んだ変更管理に手順書を改訂する，②OOSの根本原因調査をすると同時に，OOSが品質に及ぼす影響調査をする手順に変更するというような回答をした。

　FDAは，変更管理の手順に，リスク評価に広範囲の影響調査を含めることを期待していた。また指摘された医薬品が米国に輸出されていることから，供給者変更の影響調査を，広範囲（不純物プロファイルの変化，保存安定性，供給者の適格性）に広げ，その影響がないことをFDAに数値をもって報告することを求めている。

　OOSが発生しているため，供給先を変更した時点から製造された医薬品の品質を見直し，トレンドの異常や異常値がなかったか広範囲に調査を行い，OOSの根本原因調査を実施することが必要である。

CMOが変更時に委託者に連絡を怠った例

WL: 320-16-09　April 1, 2016

Your firm acts as a contract manufacturer for various drug products. FDA considers contractors as extensions of the manufacturer's own facility. Your failure to comply with CGMP may affect the quality, safety, and efficacy of the products you manufacture for your clients. There was no evidence that you notified your customers of the manufacturing changes discussed above so that your clients could respond accordingly by, for example, assessing the need to perform stability studies or submit regulatory filings. It is important that you notify your customers of significant problems or discrepancies you encounter during the testing and/or manufacturing of their products. This includes, for example, promptly notifying customers of a significant production problem that could interrupt supply or potentially pose a hazard to the consumer.

意訳

貴社は医薬品のCMOである。FDAはCMOを，製造業者自身の施設の延長として考えている。CGMPを遵守しなかった場合，製造する製品の品質，安全性，有効性に影響を与える可能性がある。製造上の変更を顧客に通知したことの証拠はなかった。顧客はたとえば，安定性試験の実施や規制申請の提出の必要性を評価することによって対応することができる。製品のテストや製造中に発生した重大な問題や不一致を，顧客（委託者）に通知することは重要である。これにはたとえば，供給を中断したり，患者に潜在的に危険をもたらす重大な生産上の問題を顧客に速やかに通知することが含まれる。

解説

　このWLの特徴は，製薬企業がCMOに製造を委託することは，この委託元の製造の延長線上にCMOが位置しているとFDAが判断していることである。そしてCMOで生じた変更は，委託元の変更管理の一部とみなされることである。

　FDAが期待するCAPA案は，CMOは委託主に代わって製造するため，その製造する医薬品の品質・安全性に変更が影響を及ぼすかどうかのリスク評価を，委託元と共有するように変更し，そのための委託元とのコミュニケーション手順を定めること，今回の変更に関しての影響調査を再度行うこと，CMOでの変更が発生したときは事前に委託元とコミュニケーションを行い，リスク分析を共有して，変更可否の判断承認を委託元に求めることである。

無菌医薬品製造所のGMP不適合

EMA non-compliance
Medicines and Healthcare Products Regulatory Agency Report No : INSP GMP 22917/8721389-0002 NCR

Nature of non-compliance: The inspection identified two critical deficiencies: (1) failure of organisational and technical measures to minimise the risk cross-contamination between hazardous and non-hazardous products manufactured in the same manufacturing facilities using shared equipment. (2) Failure of the quality unit to ensure the effective operation of the quality system. This included a gross failure of change management, permitting the use of an unqualified HPLC system and unacceptable approach to production equipment qualification. Quality investigations also lacked implementation of quality risk management principles. Three major deficiencies were also identified: (1) organisational data governance failures, particularly relating to generation and checking of analytical data obtained from electronic systems, and inadequate investigation into previous data integrity failures. (2) deficiencies in sterilisation and depyrogenation processes, and (3) insufficient control of aseptic operations to provide the required level of sterility assurance.

意訳

不適合判定の性質：査察では，①同じ製造施設で製造された毒性の高い医薬品と高くない医薬品との間の交叉汚染を最小限にするための，GMP組織的および技術的対策ができていなかった，②GMP品質システムの効果的な運用を保証する品質ユニットの不具合という2つの重大な欠点が確認された。これには，不適切なHPLCシステムの使用，生産設備適格性の判定の不備，不適切な変更管理が含まれていた。
品質調査では，品質リスク管理原則も欠けていた。3つの重大な欠陥が見出された。
①電子データシステムから得られた分析データの作成，照査の実行に関するデータガバナンスがない，および以前のデータ整合性の不備に関する調査が不十分である。
②滅菌およびエンドトキシンフィルター除去プロセスの欠点。
③滅菌保証の必要レベルを提供するための無菌操作の不十分な制御。

解説

　公表されているEMAのnon-compliance報告書は，FDAのWLと比較して簡略で，項目のみが記述され，詳細はこの書面からは読み取れないが，変更管理の不適切が重大な欠陥とされていることがわかる。

HVACの変更に伴う無菌操作の不備
（483文書に記述の指摘例）

Inspection period; 8/10/2022- 8/19/2022*　FEI NUMBER 3007 64 7000

OBSERVATION 3
Control procedures are not established which monitor the output and validate the perfo1mance of those manufacturing processes that may be responsible for causing variability in the characteristics of in-process material and the drug product.
Specifically, aseptic filling process simulations which are performed in April 2022 after significant changes to the HVAC system and replacing HEPA filters inside the cleanrooms used for filling drug produc1A for the US commercial market is deficient. During these studies, you followed your routine media fill schedule and filled only low fill volume AA　ml with high filling speed. You failed to consider the major changes to the HEPA filters in grade A and B areas and perform media filling product AA with larger openings under low filling speed condition as well.

意訳

観察事項3
　工程中の原材料および製剤の特性に変動が生じる原因となる可能性のある製造工程について、製造工程の出力をモニターし、その性能を検証するための管理手順が確立されていない。
　具体的には、2022年4月にHVACシステムに大幅な変更が加えられ、米国の市場向けの医薬品1Aの充填に使用されるクリーンルーム内のHEPAフィルターが交換された後に実行される、無菌充填プロセスのシミュレーションが不足している。これらの試験中、定期的な培地充填スケジュールに従い、低充填量のAAmlのみを充填速度"高"で充填した。グレードAおよびB領域のHEPAフィルターへの大きな変更を考慮せず、充填速度の遅い条件で、より大きな開口部を持つメディア充填製品AAを充填した。

解説

　この観察事項は、FDA査察官がHVACの変更に着目して、変更後の検証試験と実作業との対比で発見したものである。特に無菌医薬品の場合、HVACシステムの変更は、無菌性担保が最大の課題であり、リスクである。FDAは常に、ワーストケースでのPQを行うことを求めている。このFDAの査察官の注目点、照査した文書には、HVACの変更の影響、リスクを最大限に立証、検証したことが見出されなかったと思われる。また、無菌性のリスクは、無菌性担保が突発的に破られることにあるため、十二分の検証

が必要であることを，変更管理手順に明記すべきである。

　模範的なPQでは，変更時にリスク評価をして，偶発的，突発的なリスクを考慮したPQのプロトコール，つまりは最大負荷条件でPQを行うことである。また，繰り返しの必要性は，必ずしも3回に限られるわけではない。

3

ニトロソアミン不純物混入問題に見る変更管理の不備

　2018年に発生した高血圧症治療薬バルサルタンに，ニトロソアミン類不純物が混入していたことを発端に，多くの医薬品からニトロソアミン類不純物が検出され，回収や販売停止がドミノ倒しのように連続して起きたことは，記憶に新しい。

　このニトロソアミン類不純物の発見の発端になったバルサルタン混入を詳細にみると，FDA・EMAが期待する変更管理について見えてくる。

 ## バルサルタンへの不純物混入事案の発端

　発端として，EMAは2018年7月5日に，バルサルタンを含む医薬品の回収を指示している。

　欧州医薬品庁（EMA）は，中国リンハイの会社であるZhejiang Huahai Pharmaceuticals社から供給される原薬を含有する医薬品の調査を行っている。

　この調査のきっかけは，同社がEUで使用可能なバルサルタン医薬品の一部を製造するメーカーに供給するバルサルタン原薬に不純物であるN-ニトロソジメチルアミン（NDMA）が検出されたことである。

　NDMAは，臨床検査の結果に基づいて，ヒトに対する発がん性が疑われる物質（がんの原因となる物質）に分類されている。NDMAの存在は予期しなかったものであり，原薬の製造方法の変更に関連していると考えられる。調査が進行中であるが，EU全域の国家当局は，Zhejiang Huahai Pharmaceuticals社から供給されたバルサルタンを含有する医薬品を回収している。

（https://www.ema.europa.eu/en/news/ema-reviewing-medicines-containing-valsartan-zhejiang-huahai-following-detection-impurity）

この問題はEU圏内にとどまらず，他国にも波及した。米国FDAは2018年7月13日，同様にバルサルタンを含む医薬品の回収を指示している。FDAは，当該医薬品の原薬製造工場を，2018年9月28日付けでImport alertのリストに入れている。

米国FDAは，高血圧や心不全の治療に用いられる原薬のバルサルタンを含む数種類の製剤の自主回収について，医療従事者や患者に警告している。このリコールは，回収した製品に不純物であるN-ニトロソジメチルアミン（NDMA）が含まれていたことによるものである。しかし，バルサルタンを含むすべての製品が回収されているわけではない。

NDMAは，臨床検査の結果に基づいて，ヒトに対する発がん性が疑われる物質（がんの原因となる物質）に分類されている。NDMAの存在は予期しなかったものであり，原薬の製造方法の変更に関連していると考えられる。

FDAの調査は進行中であり，回収された製品中のNDMAのレベルを調査し，服用していた患者に起こりうる影響を評価し，企業が将来生産するロットからの不純物を低減または除去するためにどのような対策を講じることができるかを評価することを含めている。

（https://www.fda.gov/NewsEvents/Newsroom/PressAnnouncements/ucm613532.htm）

また日本においても，2018年7月6日に，バルサルタンを含む医薬品の自主回収の公示が，東京都福祉保健局より発出されている。

都内の医薬品製造販売業者から高血圧症治療薬バルサルタン錠20mg「AA」，同40mg「AA」，同80mg「AA」及び同160mg「AA」を自主回収する旨，医薬品，医療機器等の品質，有効性及び安全性の確保等に関する法律（以下「医薬品医療機器等法」という。）に基づく報告がありましたのでお知らせします。

（https://www.mhlw.go.jp/content/11126000/000308146.pdf）

これらの回収は，同一の製造所の原薬を用いていたことに起因していた。さらに，発生源であるZhejiang Huahai Pharmaceuticals社は，バルタルサン原薬の全世界の需要の過半数を供給していたため，このような世界規模の同時回収が起きた。

このため米国FDAは，緊急査察として2018年7月23日～8月30日に，当該製造所を査察して不備を検出した。だが，当該製造所への483文書に対するCAPA・回答が不十分であったため，11月にWarning letter（WL）を発出している。

またEMAは，Zhejiang Huahai Pharmaceuticals社のバルサルタンの品質に関して査察し，不備が観察されたため，2018年10月12日にnon-compliance製造所に指定した。

EMAによる査察での指摘内容

EMA/EDQM合同の査察は，NDMA/NDEAバルサルタン汚染の問題の背景にある「原因」の究明として開始された。9つの「メジャー」と8つの「その他」の逸脱が特定された。主要な欠陥は以下のように指摘された。

1. バルサルタンのNDMA/NDEA汚染に関連して行われた調査は，重大な欠陥を示した。
2. 2018年7〜8月に実施された，バルサルタン製造プロセスの開発／実施において行われた同社のリスクアセスメントは満足のいくものではなかった。さらに同社は，最適化されたプロセスで発現した，新たなリスクを低減するための管理戦略を開発する必要性を認識していなかった。
3. 2011/2012年に変更されたバルサルタン製造プロセスの開発状況において，いくつかのギャップが確認された。このプロセスで導入された変更は，NDMA不純物の生成を引き起こした。
4. NDMA混入問題に重点を置いた，苦情処理に関する観察事項を認めた。
5. OOS結果の管理に不備があった。
6. 汚染されたバルサルタンの製造バッチに関連する対処を管理するための，正式なリコールは開始されなかった。
7. 再処理／混合のトレーサビリティを含む作業に不備があった。
8. GC-FID分析に関連するデータ完全性に問題があった。
9. 新しいプロセスで製造されたバルサルタンのバッチの，GC-MS分析で検出された未知のピークの調査が不十分だった。

他の製造所への波及と当局の対応

回収の原因となった発がん性が疑われる不純物"NDMA/NDEA"は，バルサルタン原薬の不純物としては新規ではなく，既知の不純物であると同時に，バルサルタンと類似の骨格を有する医薬品，カンデサルタン，イルベサルタン，ロサルタンおよびオルメサルタンの4原薬に含まれていることが明らかになった。

バルサルタン，カンデサルタン，イルベサルタン，ロサルタンおよびオルメサルタン

は，サルタン系医薬品と呼ばれ，特定の環構造（テトラゾール）を有している。これらの医薬品の合成工程で，潜在的にNDMAのような不純物の生成の可能性があることが判明した。

市販されているサルタン系の医薬品を分析した米国FDAは，インドのHetero Labs社で製造されたロサルタンの1バッチで，少量のNDMA/NDEAを検出したと警告を発表している。

またZhejiang Tianyu社で製造されたバルサルタン原薬のいくつかのロットでNDMA/NDEAを検出したため，Zhejiang Huahai Pharmaceuticals社と同様に，EUでの承認が取り消された。

では，なぜ今回の回収騒動が起きたかというと，Zhejiang Huahai Pharmaceuticals社は2011年11月に，溶媒の使用変更を含む，バルサルタン原薬の製造プロセスの変更（PCRC-11025）※を行い，FDAへ変更申請を行っている。そのときの変更意図は，『製造プロセスの改善』，『製品収率の向上』，および『生産コストの削減』であった。

※（https://patents.justia.com/assignee/zhejiang-huahai-pharmaceutical-co-ltd）

FDAによる査察で明らかになったことは，新しい製造プロセスを導入した場合，潜在的な変異原性不純物の生成に関して十分に評価することをしていなかった点である。具体的には，テトラゾール環の生成過程もしくは，反応終了後の試薬のクエンチングの過程で生じる分解物などからの変異原性の評価，またはその他の毒性不純物が形成される可能性を考慮していなかったのである。

変更後の製造プロセスでNDMA/NDEAは，製造されたバルサルタン原薬で検出されたが，プロセスの変更を社内で承認する前に（さらにFDAに変更申請する前にも機会があった），予想外の不純物が検出されることに対する対策，不純物を管理する追加の分析方法の必要性を評価していなかったことが不備としてあげられている。

さらに回収騒動が起きた2018年7月以前の2016年には，顧客より不純物の含量の基準を超えているとの苦情が寄せられたが，十分な調査をしていなかった。また返品された原薬の十分な調査もせずに，再処理した後に再度出荷している。

このことから，2012年の変更時にすでに，不純物NDMA/NDEAが含まれていたとFDAは断定している。

FDAのWarning Letter

FDAはWarning Letterの中で，具体的な不備事項を細かく指摘している。以下に紹介する。

1. Failure of your quality unit to ensure that quality-related complaints are investigated and resolved.

Your firm received a complaint from a customer on June 6, 2018, after an unknown peak was detected during residual solvents testing for valsartan API manufactured at your facility. The unknown peak was identified as the probable human carcinogen N-nitrosodimethylamine (NDMA). Your investigation (DCE-18001) determined that the presence of NDMA was caused by the convergence of three process-related factors, one factor being the use of the solvent (b) (4)). Your investigation concluded that only one valsartan manufacturing process (referred to as the (b)(4) process in your investigation) was impacted by the presence of NDMA.

However, FDA analyses of samples of your API, and finished drug product manufactured with your API, identified NDMA in multiple batches manufactured with a different process, namely the (b)(4) process, which did not use the solvent (b)(4). These data demonstrate that your investigation was inadequate and failed to resolve the control and presence of NDMA in valsartan API distributed to customers. Your investigation also failed:

• To include other factors that may have contributed to the presence of NDMA. For example, your investigation lacked a comprehensive evaluation of all raw materials used during manufacturing, including (b)(4).

• To assess factors that could put your API at risk for NDMA cross-contamination, including batch blending, solvent recovery and re-use, shared production lines, and cleaning procedures.

• To evaluate the potential for other mutagenic impurities to form in your products.

Our investigators also noted other examples of your firm's inadequate investigation of unknown peaks observed in chromatograms. For example, valsartan intermediates (b)(4) and (b)(4) failed testing for an unknown impurity (specification ≤ (b)(4)%) with results of (b)(4)% for both batches. Your action plan indicated that the impurity would be identified as part of the investigation; however, you failed to do this. In addition, no root cause was determined for the presence of the unknown impurity. You stated that you reprocessed the batches and released them for further production.

Your response states that NDMA was difficult to detect. However, if you had investigated further, you may have found indicators in your residual solvent chromatograms alerting you to the presence of NDMA. For example, you told our investigators you were aware of a peak that eluted after the (b)(4) peak in valsartan API residual solvent chromatograms where the presence of NDMA was suspected to elute. At the time of testing, you considered this unidentified peak to be noise and investigated no further. Additionally, residual solvent chromatograms for valsartan API validation batches manufactured using your (b)(4) process, with (b)(4) in 2012 ((b)(4), and (b)(4)) show at least one unidentified peak eluting after the (b)(4) peak in the area where the presence of NDMA was suspected to elute.

意訳

1. 品質関連の苦情が調査され，解決されることを保証する品質部門の不備。

　貴社は，貴社の施設で製造されたバルサルタン原薬の残留溶媒試験中に未知のピークが検出された後，2018年6月6日に顧客から苦情を受けた。未知のピークは，ヒト発がん性物質の可能性がある*N*-ニトロソジメチルアミン（NDMA）として同定された。貴社の調査（DCE-18001）では，NDMAの存在は3つのプロセス関連因子の収束に起因すると判断され，1つの因子は溶媒の使用であった (b) (4)。

　貴社の調査では，1つのバルサルタンの製造工程（貴社の調査では (b) (4) 工程と呼ばれる）のみが，NDMAの存在によって影響を受けたと結論付けられた。しかし，貴社の原薬および貴社の原薬を用いて製造された最終製剤のサンプルについてFDAが分析を行ったところ，異なる工程，すなわち (b) (4) 工程で製造された複数のロットにおいてNDMAが確認され，溶媒 (b) (4) を使用していなかった。これらのデータは，貴社の調査が不十分であり，顧客に提供されたバルサルタン原薬中のNDMAの管理と存在を解決できなかったことを実証している。

　貴社の調査はさらに，以下の点で不十分である。

- NDMAの存在に寄与した可能性のある他の因子を含めていなかった。例えば，貴社の調査では，(b) (4) を含む，製造時に使用されるすべての原材料の総合的な評価が欠けていた。

- ロットの混合，溶媒の回収と再使用，生産ラインの共有，洗浄手順など，貴社の原薬がNDMA交叉汚染のリスクにさらされる可能性のある要因を評価していなかった。

- 貴社製品に他の変異原性不純物が生成する可能性を評価していなかった。

　FDAの査察官はまた，クロマトグラムで観察された未知のピークの調査が不十分であった貴社の他の例にも注目した。

　たとえば，バルサルタン中間体 (b) (4) および (b) (4) は未知の不純物（規格値≦ (b) (4) %）の試験に失敗し，両ロットとも (b) (4) %の結果が得られた。貴社の行動計画は，不純物が調査の一部として同定されることを示したが，これはできなかった。また，未知の不純物の存在について，根本原因は特定されなかった。貴社はバッチを再処理し，その後の生産のために出荷したと述べた。貴社の回答は，NDMAは検出が困難であったと述べている。しかし，さらに調査した場合，残留溶媒クロマトグラムにNDMAの存在を警告する指標が見つかった可能性がある。たとえば，(b) (4) バルサルタン原薬の残留溶媒クロマトグラムでNDMAの存在が疑われるピークの後に溶出するピークを知っていることを，査察官に伝えた。試験時に，この未確認のピークはノイ

ズであるとみなし，それ以上調査しなかった。

　さらに，2012年の（b）（4）および（b）（4）で貴社の（b）（4）プロセスを用いて製造したバルサルタン原薬バリデーションバッチの残留溶媒クロマトグラムでは，NDMAの存在が疑われる領域の（b）（4）ピーク後に溶出する，少なくとも1つの未同定のピークが示されている。

解説

　ここでFDAは，NDMAが発現した原因調査の不備を指摘している。溶媒の回収と再使用，洗浄手順などNDMA汚染にさらされるリスクを評価していなかったことに加え，クロマトで観察された未知のピークを調査していなかったことがあげられる。

　2012年に製造法を変更したことは知られているが，その時点でNDMAの存在が疑われる未同定のピークが認められている。この変更した製造法がNDMA汚染の原因との指摘が示唆されている。

　この指摘事項は，Zhejian Huahai Pharmaceuticals社の変更管理のシステムを超えたものだったと考えられる。Zhejian Huahai Pharmaceuticals社は，バルサルタンのサンプルを外部機関（大学）に提供して，バルサルタンに含まれる不純物の研究を依頼している。この研究は，論文として発表されているが，同定・定量された不純物は，バルサルタンに類似した骨格・近接した波長でのUV吸収を有していることが公表されている。発がん性の疑いのある不純物であるNDMAの化学的特性から，バルサルタンの定量分析に用いられたHPCの条件では，バルサルタンに類似した骨格の不純物は検出できるが，NDMAは検出できない。もし分析可能であるとしたならば，FDAのWarning Letterに記述されているガスクロ法で検出が可能であると容易に推定される。しかし，Zhejian Huahai Pharmaceuticals社のGC分析は，残留溶媒の分析にのみ注力していたと推測され，残留溶媒クロマトグラムに見られた溶媒のピークを同定，定量しており，溶媒以外の新規のピークは無視されていた。

2. Failure to evaluate the potential effect that changes in the manufacturing process may have on the quality of your API.

In November 2011 you approved a valsartan API process change (PCRC - 11025) that included the use of the solvent (b)(4).

Your intention was to improve the manufacturing process, increase product yield, and lower production costs.

However, you failed to adequately assess the potential formation of mutagenic impurities when you implemented the new process.

Specifically, you did not consider the potential for mutagenic or other toxic impurities to form from (b)(4) degradants, including the primary (b)(4) degradant, (b)(4).

According to your ongoing investigation, (b)(4) is required for the probable human carcinogen NDMA to form during the valsartan API manufacturing process.

NDMA was identified in valsartan API manufactured at your facility.

You also failed to evaluate the need for additional analytical methods to ensure that unanticipated impurities were appropriately detected and controlled in your valsartan API before you approved the process change.

You are responsible for developing and using suitable methods to detect impurities when developing, and making changes to, your manufacturing processes.

If new or higher levels of impurities are detected, you should fully evaluate the impurities and take action to ensure the drug is safe for patients.

Your response states that predicting NDMA formation during the valsartan manufacturing process required an extra dimension over current industry practice, and that that your process development study was adequate.

We disagree.

We remind you that common industry practice may not always be consistent with CGMP requirements and that you are responsible for the quality of drugs you produce.

Your response does not describe sufficient corrective actions to ensure that your firm has adequate change management procedures in place: (1) to thoroughly evaluate your API manufacturing processes, including changes to those processes; and (2) to detect any unsafe impurities, including potentially mutagenic impurities.

意訳

2. 製造工程の変更が貴社の原薬の品質に及ぼす可能性のある影響を評価していない。

　2011年11月，貴社は溶媒（b）（4）の使用を含むバルサルタン原薬工程変更（PCRC - 11025）を承認した。貴社の意向は，製造工程を改善し，収量を増やし，生産コストを下げることだった。しかし，新たなプロセスを実施した際に，変異原性不純物の生成の可能性を適切に評価していなかった。具体的には，（b）（4）一次分解物，（b）（4）分解物を含む（b）（4）分解物から，変異原性またはその他の毒性不純物が生成する可能性を考慮しなかった。貴社の継続中の調査によれば，（b）（4）は，バルサルタン原薬製造工程中にヒト発がん性物質と考えられるNDMAが形成されるために必要である。また，貴社が工程変更を承認する前に，バルサルタン原薬において予期しない不純物が適切に検出・管理されたことを確認するために，追加の分析法の必要性を評価していなかった。

貴社は，貴社の製造工程を開発し，変更する際に，不純物を検出するための適切な方法を開発し，使用する責任を負う。新たなレベル以上の不純物が検出された場合には，その不純物を十分に評価し，患者にとって安全であることを保証する措置を講じること。

　貴社の回答では，バルサルタン製造プロセス中のNDMA生成の予測は，現状の技術基準を超えており，プロセス開発研究が適切であったと述べているが，<u>FDAは同意しない</u>。一般的な業界の標準は，常にCGMPの要件と一致するとは限らない。また，<u>貴社は製造する医薬品の品質に責任を負うことを肝に銘じること</u>。

　貴社の回答には，貴社が適切な変更管理手順を実施していることを保証するための十分な是正措置が記載されていない。①それらの工程の変更を含む貴社の原薬製造工程を徹底的に評価すること，および②潜在的に変異原性のある不純物を含むあらゆる安全でない不純物を検出すること。

解説

　FDAは，「NDMA生成の予測が困難であった」とする回答に対し「同意しない」と述べ，さらに「製造する医薬品の品質に責任を負うこと」の重要性を強調している。そのうえでこれら指摘に関して，下記の回答を求めている。

- 変更管理手順書を改訂し，施設で製造された原薬および中間体の変異原性不純物を含むすべての不純物をどのように評価し，管理するかを記述すること。
- 製造された製品の不純物プロファイルをどのように保証するかを表した詳細な手順。これらの手順には，規制申請の不純物プロファイルとの適切な間隔での比較，または履歴データとの比較をすることを規定すること。また製造された他原薬および中間体を回顧的に分析し，突然変異誘発性の不純物を含め，予想された不純物および予想外の不純物について評価すること。

なぜ不純物が混入したか〜変更管理の不備が一因に

　前述のとおり，Zhejian Huahai Pharmaceuticals社は2011年11月に，溶媒DMFの使用変更を含むバルサルタン原薬プロセスの変更（PCRC-11025）を行い，FDAに変更申請を行っている。そのときの変更意図は，製造プロセスの改善，製品収率の向上，および生産コストの削減であった。

　製造法は公表されていない。そのため，ZHP社のCN101450917A (https://patentimages.storage.googleapis.com/06/e3/8e/de10d04da81a2f/CN101450917A.pdf）から推定すると，下記の記述がある。

変更後の推定される合成法では，NDMAの混入が疑われる工程はStep5⇒6であり，実施例に下記のように記載されている。

「N-ペンタノイル-N-((2'-シアノビフェニル-4-イル)-メチル)-L-バリン（10g）を50mlのn-ブタノールに溶解し，室温でZnCl2（11.7g）およびNaN3（8g）を加えたのち，還流温度まで加熱した。約20時間後反応は実質的に終了し，室温に冷却した。溶液を酸性化後，n-ブタノールで抽出し，生成物として単離した（7.8g，収率70%）」。

CN101450917Aには，この反応に使用する薬品としてZnCl2およびNaN3以外に，NH3Cl, Tri-ethylamine・HCl, 酢酸，溶媒として，DMF, n-ブタノール，n-メチルピロディジンなどの記述がある。

この反応では，ヒドラジンとメチルN－バレリル－N－[(2'－シアノビフェニル－4－イル)メチル]－L－バリネートのシアノ基を反応させることによって得られるアミノアミジンと反応させるとテトラゾール環を形成させる。

R-CN + N2H4 => R-C（=NH）NHNH2 => R-C（=NH）NHNH2+ HNO2 => R-Tetrazole.

この反応からは，NDMAが生成することは予想できない。しかし，反応終了後「反応溶液を酸性化後，有機溶媒で抽出して，粗バルサルタンを得る」という後処理工程中において，残存するNaN3NH3Cl, Tri-ethylamine・HCl, DMFが，酸性化の条件で反応してNDMA, NDEAを生成する可能性があった。このNDMA, NDEA生成工程は，水処理ではよく知られた反応である。

NDMA，NDEAの交叉汚染　推定原因

テトラゾール環の生成過程，反応終了後の反応混合物のクエンチングの過程で生成される分解物，その分解物の毒性評価，原薬への混入の可能性はリスク分析・照査されていなかった。

廃液処理の知見があれば，反応後の後作業で予想外の不純物が検出されたことから，NDMAの潜在的リスクに対する対策，不純物を管理する追加の分析方法の必要性が予想できたが，この事案では評価されていなかった。

NDMAが反応後の後作業で生成されたと仮定すると，この不純物は，潜在的な不純物ではなく公知の不純物であり，工程変更全体で評価すべき事象であった。

NDMAがどうして原薬に混入したかと考えると，

●反応終了後の反応混合物のクエンチングでNDMA/NDEAが生成される過程で，NDMAの生成反応の元となるジメチルアミン，ジエチルアミンなどの不純物が多く，NDMA/NDEAの生成量が多くなり，有機溶媒抽出時に有機層に相当量移行した。

●水層のpHが，酸性pHから変動して，有機層に抽出された。

●有機層に水層が混入していた。

などがあげられる。

このバルサルタン原薬へのニトロソアミン類不純物の混入は，Zhejiang Huahai Pharmaceuticals社が発端であったが，全世界の製薬企業を巻き込んだ問題となった理由は，変異原性不純物の混入が，多くの医薬品の通常の製造工程（承認された）で起きたこと，またニトロソアミン類不純物を含むことが報告された医薬品の多くが汎用医薬品であった，もしくは非常に多くの患者に投与されていたことに起因する。

発端となったZhejiang Huahai Pharmaceuticals社の変更管理の不備として，ニトロソアミン類不純物のリスクを検討せずに，安易な変更で製造効率を上げようとしたことは，GMP上認められない。このことから，変更により生じるリスクは，顕在はもとより潜在のリスクを考慮する必要がある。さらに，リスク分析では，幅広い知識，知見の活用が求められることがわかる。

4章

変更例とリスク

key note

　本章では，GMP下の医薬品製造で多く行われる変更をいくつか紹介する。医薬品製造においては多くの変更が行われるが，それぞれの変更の背景やリスクを十分に理解したうえで実施する必要がある。なお執筆にあたっては，製薬企業の安全性調査部門が，変更時に厚労省に提出する「医薬品リスク管理計画書」の参考にもなるような記述に努めた。

反応溶媒の変更

 ## 変更の概要

　合成反応・溶媒系の変更は多岐にわたり一概には述べることができないので，ここでは「アセチル化」を例にして，概念，リスク評価の流れ，必要項目を解説する。反応・溶媒変更時の参考にしていただきたい。

　最終エステル化工程で使用する溶媒を<u>「無水酢酸」から「氷酢酸」に変更</u>する。変更理由は，<u>「安全性・品質向上変更」</u>を主目的とする（変更の分類はP57参照）。

　無水酢酸は，日本では「特定麻薬向精神薬原料」に指定され，米国では，DEA規則の対象になっているため，原材料のセキュリティ対策ならびに労働安全性の観点から，氷酢酸に変更することが合理的かつリスク低減効果をもたらすと考えられる。

　この変更によって得られるメリットは，下記のものがあげられる。

1) 無水酢酸の保管場所は，「特定麻薬向精神薬原料」としての規制（保管場所の届け出，施錠管理，在庫管理）に従うことが必要となるが，氷酢酸に変更することにより有機溶剤として届け出た保管場所での保管が可能になる。
2) 無水酢酸は，消防法第4類引火性液体，第2石油類非水溶性液体で，指定数量1,000リットルであるのに対して，氷酢酸は第4類引火性液体，第2石油類水溶性液体，指定数量2,000リットルと，保管量も増加することができる。
3) 作業者安全性からも，無水酢酸に比較して氷酢酸は曝露限界値の面で危険性が低い。

	無水酢酸	氷酢酸
労働安全衛生法	名称等を通知すべき有害物 危険物・引火性の物（施行令別表第1第4号）	労働安全衛生法：名称等を通知すべき危険物及び有害物 腐食性液体（労働安全衛生規則第326条） 危険物・引火性の物（施行令別表第1第4号）
消防法	第4類引火性液体，第2石油類非水溶性液体	第4類引火性液体，第2石油類水溶性液体

	無水酢酸	氷酢酸
許容濃度	日本産業衛生学会：5ppm；21mg/m^3 米国産業衛生専門家会議（2005年版）：TWA5ppm	日本産業衛生学会：10ppm；25mg/m^3 米国産業衛生専門家会議（2005年版）：TWA 10ppm

 変更によるリスク

（1）反応速度の同等性もしくは反応制御の差異

①アセチル化速度の制御

　変更によって反応機構も変化することになる。従来の無水酢酸を使用しての反応は求核アシル置換反応であり、氷酢酸・酸触媒反応のフィッシャーのエステル化反応とは異なる。

　氷酢酸・酸触媒反応は、理論的には平衡反応となり、平衡状態を崩す（精製水、エステル体の系外への移送）ことが必要となる。このため、反応の原理が異なる変更には、その原理をよく理解しないと、制御が不能となる大きなリスクが潜在する。

　たとえば、無水酢酸によるアセチル化には、ピリジンが触媒として加えられ、反応が進行するとされている。氷酢酸を用いてのアセチル化（エステル化）は、酸触媒を用いて反応を進行させる。反応速度は、無水酢酸によるアセチル化が一般的にはやいので、氷酢酸を用いてのアセチル化では、終点管理を的確にモニターしないと、未反応物を精製するリスクを持っている。

②反応総エネルギーの収支（増減管理）もしくはアセチル化の時間

　無水酢酸によるアセチル化には、ピリジンが触媒として加えられ発熱反応となる例があるので、反応槽は温度制御され、たとえば40℃以上に上昇しないように冷却することが多い。この場合、温度制御されないと、無水酢酸が突沸する可能性があり、高温での副反応精製のリスクを潜在的に持っている。

　氷酢酸でのアセチル化は、触媒とエネルギー（加熱）が必要であるため、無水酢酸によるアセチル化とは逆に、加熱が必要になる。この温度管理が、反応速度の管理、製造時間管理のリスクとしてあげられる。

③アセチル化の緩慢、終点管理もしくは反応の平衡終点の管理

　無水酢酸を用いた場合、ほぼ100％のアセチル化反応が終了する。反応は発熱反応であり、発熱を冷却等で制御することで暴走を抑えることが可能であり、終点は容易に管理できる。この場合、未反応物の残留のリスクは低いもしくは管理できると推察される。

　前述のとおり氷酢酸を用いてのアセチル化では、加温が必要なことが多いため、反応

進行をモニターすることで，反応の終点を管理することが求められる。機器による未反応物の分析で管理が可能である。このことは，未反応物管理，工程試験管理，工程時間制限管理等のリスクが生じる。

そして反応様式が異なるため，終点の判定基準が異なる。無水酢酸での反応は不可逆的に進むと考えられるので，平衡状態を崩す工程・手法が求められる。このことは，工程をやや複雑にするリスクが生じる。

(2) 反応に及ぼす反応器の要因（容積効率の差異）

「(1) 反応速度の同等性もしくは反応制御の差異」に記載したとおり，発熱反応と吸熱の差異が生じるため，同一の反応槽を用いての変更では，以下のリスクが生じる。

●容積効率

無水酢酸での反応に用いられた反応槽の"冷却／加熱"機能に関しては，両方が同じ熱量の運搬効果を有していればリスクは低い。

冷却能は概して低いため，冷却能を最適化するために仕込む容積も低くなる傾向があり，同じ反応槽を用いて加熱反応に変更するときは，同一の容積での反応はリスクを生じると推察される。

また，反応時に副生する酢酸（無水酢酸反応の場合），アセチル体と水（氷酢酸反応の場合）の影響を考慮して，容積の最適化を行う必要がある。

(3) 温度管理と最適温度帯

発熱・吸熱反応のため，管理温度の概念を変えることがリスク回避となり，この点に留意しなければリスクとなる。

管理幅は，重要工程パラメータ（CPP）とされることが通常であるが，温度幅の逸脱は副反応による不純物の生成，工程時間の制限逸脱の原因となるため，リスクベースで設定・検証することが必要である。

(4) 反応機の縦横比

発熱・吸熱反応のため，反応槽内に温度勾配が発生して，溶液の密度分布不均一が生じる。この不均一を解消するため，分子間接近を促進する目的で撹拌が行われる。このときの撹拌効率は，反応槽の深さ，直径，アンカーの形状に依存する。

この最適比を化学工学の知見から算出する。最適値から外れることは，反応時間の制限逸脱，不要のエネルギー消費というリスクが存在する。

（5）反応温度制御（最適反応温度の差異）

①至適反応温度に差があるか，その至適温度の管理の困難さ

　選択的アセチル化を目的とする場合，第1級ヒドロキシ基，第2級もしくは第3級ヒドロキシ基は，反応温度で選択制を持たせることができるが，至適温度帯の厳格な管理が求められる。特に無水酢酸を用いる場合は，選択性を持たせることは困難で，至適温度帯の幅はリスク管理となる。

　氷酢酸・酸触媒のアセチル化は，至適温度帯での反応を逸脱すると，反応時間（工程時間）制限逸脱のリスクが潜在するため，バリデーション，データの蓄積によって至適温度帯，終点時間を定める必要がある。

②温度管理の逸脱の可能性

　氷酢酸・酸触媒のアセチル化は吸熱反応のため，温度は外的に制御でき，リスクは低いと考えられる。しいて言えば，機械的なリスクが潜在すると考えられる。

　無水酢酸でのアセチル化では，急激な反応にて温度の急上昇に伴う管理幅の逸脱，冷却能の低下による制御不備による逸脱のリスクがある。

　さらに，スケールアップに伴う総計熱量による温度逸脱も潜在的リスクとして存在する。基本的にこれらのリスクは機械の特性に依存するため，機器の適格性評価でリスクを低減できると考えられる。

a）管理値の幅の変動

　化学反応での管理温度は，反応液の総容量，比熱・伝導率と総反応熱の相関によるため，どの要素が最大のリスク要因であるかを，FMEA等の手法で抽出することが求められる。

　この関係から，管理幅などの要素も一定ではなく，反応の条件で変動するものであることを認識することが求められる。"管理幅は不変だ"との認識が，逆にリスクとなる。

b）管理幅の限度値での反応速度の安定・可逆性反応管理の差異

　管理幅は，反応溶液の総量が相対的に大きくなれば厳格に制御可能であり，逆に反応系が小さい，反応溶液が少なく，反応槽の容量が大きい場合，管理幅の制御が困難になるというリスクがある。このため，変動の少ない大容量では，管理幅の限度値付近での反応は緩衝範囲内であるのでリスクは少ない。

　少量での温度管理は難しく，変動幅が大きくなりがちで，この変動中の管理幅の逸脱が，反応速度の制御不可，異常を引き起こす可能性を持っている。反応速度，暴走のリスクは総容量・総熱量に基づくため，大容量では変動が小さく，小容量では変動が大きくなることを考慮して管理幅を設定せねばならない。小容量では，大きな変動を考慮しての大きな管理幅になる。

（6）化学的純度の同等性

①アセチル化反応でのアセチル化剤の差異による化学純度の差異

　アセチル化の反応速度（反応強度）は無水酢酸が勝っているため，選択的反応は起きないと推測されている。

　氷酢酸・酸触媒では反応性が弱いため，選択的アセチル化が起こることが考えられる。目的とする部位により，反応の遅延が推測され，未反応物が不純物として残存するリスクがある。このため，目的とする反応基の部位によって反応を使い分ける必要がある。

②未反応原材料の残留

　氷酢酸・酸触媒反応の場合，反応によりアセチル体と水が生成して，平衡状態を生じることは知られている。この平衡状態を崩し，未反応原材料の残留を最小限にすること，もしくは氷酢酸とアセチル化される原材料の相対量比を大きくして，反応速度を速めることは，装置の設計もしくは製造指図の設計でのリスク管理になる。

（7）不純物プロファイルの同等性

①新規不純物の発生

　原理が異なる反応系に変更することは，当然ながら未知の不純物が発生する可能性が高い。新規の不純物が発生するリスクがあるという前提に立ち，変更管理を行う必要がある。

　求められるのは，毒性等患者に影響のある不純物が発生するかどうか，リスク管理として，ICH Q3の基準に適合するよう，不純物を少量に管理できるかといった点である。

　管理方法としては，許容限界以下，もしくは精製工程を加えることで，目標管理値（リスク許容値）を正確に制御できるかに主眼を置くことである。

②プロファイルの同等性の検証

　同等性の証明は，研究された時点で用いることのできる最良の検出機器を用いることが望ましい。このため，分析手法・機器の情報収集を怠り，機器を変更することで検出できたであろう未知の不純物を見逃すことは，患者安全性の観点から，大きなリスクである。後に不純物由来の健康被害・副作用が発現する可能性は，医薬品のライフサイクル管理上，忘れてはならないリスクである。

　同等性の検証，新規不純物の発生の否定には，HPLCならば最新の検出機（多波長，蛍光検出，2次元HPLCなど）でピークに隠れた成分がないかの確認を採用することで，新規不純物・隠れた成分の見逃しのリスクを最小限にする。

（8）結晶形の同等性

①純度の低下で結晶化しない，アモルファスへの転換

アセチル化の反応終点（反応速度）の違いで，未反応原材料の残存，もしくは残存酢酸量による純度の低下で，結晶形が異なるもしくは結晶化できなくなる，物理化学的性質が変化するなどのリスクが発生する。

②不純物組成で結晶形が変化

不純物の介在によりアモルファス状になり，結晶化できなくなるリスクが残る。不純物・異物が核となり結晶配位が変わり，結晶形が変化する。特に金属系の異物が核となり，変化する。

③結晶形による色相の変化

結晶の色相は配位に依存しており，透過・反射光の変化が起きて見た目の色調に変化が起こるリスクがある。特に，特異的な波長の吸収により，反射光に欠損バンド（波長）が発生して，色の変化が起こりうる。

（9）排水管理

①両アセチル化剤の廃液管理

無水酢酸は，反応終了後直接廃棄はできないため，不活性化して廃棄せねばならない。「麻薬及び向精神薬取締法」の規定で，無水酢酸は管理対象化合物であるが，氷酢酸は法的制限はないので，単純に産業廃棄物として焼却処理できる。法的な制限のある有機化合物は，GMPのシステム外の制限というリスクがある。

②合成後の両アセチル化剤不活性化，中和廃液管理

「麻薬及び向精神薬取締法」のため，無水酢酸は分解しての廃棄処分が必要である。氷酢酸は，希釈中和することで稀薄溶液の排水処理が可能になり，リスクが低い。

規制当局への申請

反応に用いる原材料の変更であるが，生成物は変わらないため軽微な変更としがちであるが，軽微変更届で受理されながら，当局に後日承認事項一部変更（一変）申請相当と判断されるリスクもあり，事前相談の対象にすべき変更である。

軽微変更届で対応を検討するにしても，同等性の証明なしでの変更は，コンプライアンス上高リスクである。少なくとも，不純物プロファイル，含量（純度）の同等性評価を行い，変更による影響がないことの証明を行う必要がある。

出発原材料を自社生産から購入品に変更

変更の概要

　出発原材料から自製していた中間体を，サプライヤーから購入することとし，購入中間体を出発原材料にするという変更。

　背景として，医薬品の製造原価低減のため，主要な原価構成要素である出発中間体の価格差に着目。自社での出発原材料から中間体を製造するのに要していた費用（中間体を製造する費用，原材料，工程管理費用，設備の維持費用，労務費用等）と品質保証・管理費用を含めた間接費用の合算が，購入中間体の費用より大幅に安価になることが前提となる。これは，典型的な私的要因変更に分類される（変更の分類はP57参照）。

Point

　近年，業界の再編で中間体，原材料の製造所が統合され，またポートフォリオの見直しで中間体，原材料の製造が中止され，やむを得ず海外の供給者に変更しなくてはならないケースも発生している。この場合の変更は，外的要因変更に分類される。この変更は，"医薬品の安定供給を強化する"というメリットが予測されるものである。

変更によるリスク

（1）中間体製造業者の供給安定性

　　医薬品の安定供給は製薬企業の使命であり，そのためには医薬品の製造に必要な原材料，中間体が安定した品質で，必要なときに入手できることが重要である。原材料の供給不安は，医薬品の安定供給の面で大きなリスクとなる。そのリスク回避のため，供給先の変更は供給不安定のリスクを低減することを目的に，事前調査が重要である。

　　単独の供給業者ではなく，複数の業者を指定してリスクを分散させる必要がある。また，複数の供給業者を指定する原材料は，医薬品の製造に占める重要度（供給が滞るリスク）を勘案すること。

①製造業者の供給能力

　　製造に使用する機器・設備の能力が，期待（予定）する供給量を上回っていることの検証が必要。また，財務的な面で製造所運営に支障がない基盤を有していることも確認する。

②製造業者のQMS

　　原材料の製造業者で，手順書，組織，記録の充足度が，リスクの大きさの評価指標となる。少なくとも品質システムが備わっており，好ましくはISO 9001に準拠していることが望ましい。特に，EMAやFDAの査察対象になっていない原材料であれば，そのリスクは高いと判断せざるを得ない。まして，化学品として製造されていることも比較的多く見受けられるが，こうしたリスクを減ずるために，採用前の事前調査（文書），現地監査を行ってから判断する必要がある。

（2）新規原材料と現在使用している原材料の同等性

　　変更する出発原材料は，決して元の原材料と"完全に同じ"ではなく，"類似"であるため，純度・不純物プロファイルに差があることもある。

　　純度・不純物プロファイルが同じではなく，新規の不純物が含まれる可能性があり，これが最終製品の不純物プロファイルに影響を及ぼす可能性がある。この不純物バランス・比率が，反応性に影響を及ぼす可能性のあるリスクである。

　　融点，溶解性は，不純物の含量によって影響を受けるため，加熱溶解等の準備工程で，変更前との差異が生じることがある。追加のエネルギー・時間を要して，さらに追加の工程の変更を要求されるリスクが発生する。

（3）中間体・原材料の品質のバラつき，安定性の不安

　製造業者が異なるため，出発原材料の品質は異なる。ましてや，年間・数年間を通してのバラつき，異常値のデータ等がない条件下で，とりわけOOTの発生確率が未知であることがリスクとなる。これは，生産数の積み重ねと供給先の品質システムの調査がリスク低減策になる。

（4）新規不純物の存在，毒性を有する不純物の有無

　原材料に含まれる新規不純物が反応して，さらに新規不純物が生成される可能性がある。その新規不純物が，全体量の＞0.05％であれば，有効性・毒性等に影響を及ぼすリスクがあるため，その構造決定，安全性評価が求められることは，ICH Q3Aに定義されているが，＜0.05％においても安全性，特に毒性，催奇形性を持つ可能性があるため評価が必要である。

　新規原材料への切り替え検討段階で，反応性，不純物の差異を比較して原材料の同等性を評価し，リスクを低減する。

①不純物の総量

　反応後の純度が，変更前の原材料での工程管理値に到達しないことで，不純物の総量が増加した結果となる。原材料不純物の総量が，極限まで低量であれば，合成される医薬品に含まれる不純物量は一定水準以下で品質は向上する。総量が変動すると製造される医薬品中の不純物がさらに大きく変動するリスクが存在する。

②個々の不純物量の同等性と不純物の分析
　（たとえば，HPLC分析パターンの同等性）

　不純物の管理は，定量と定性の両面が求められるが，一般に定量にて管理されていることが多く，定性での不純物管理がおろそかになるリスクがある。

　ICH Q3Aの"注"に配慮せずに運用している例もあり，これが潜在的なリスクとなる。

　図4-1に示すように，ICH Q3Aでは，構造決定の閾値として一律に"0.1％（0.05％）"を定義しているわけではない。定性的な不純物のトレンド分析は，HPLC等の分析記録の不純物パターンに差がないか，特に保存安定性試験での継時的HPLCの比較，プロセスバリデーションでのバッチ間の比較，年次照査での生産バッチ間のパターン認識で，異常なトレンドがないかの検討が求められる。

別紙3： 分解生成物の構造決定ならびに安全性の確認のためのフローチャート

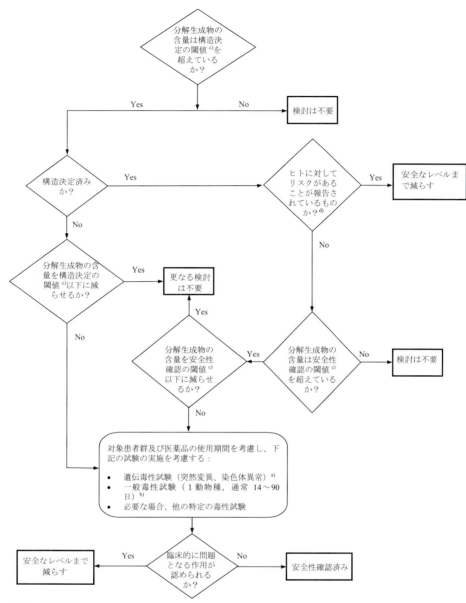

"注c）毒性の非常に強い分解生成物については，これよりも低い閾値が適当な場合もある．"

図4-1 分解生成物の構造決定ならびに安全性の確認のためのフローチャート
（ICH Q3A より引用）

（5）新規原材料の反応性と収率変動

①反応性の同等性，変動幅

　新規原材料が必ずしも同等の反応性（溶解性，反応速度等も含む）を示すとは限らず，多くの原材料では差異が認められる。これは同一製造所で製造されたロットが異なる原材料でも同様である。この差異は，管理幅を設定して管理することになる。

　新規原材料においては，管理幅の同等性が検証されていないため，新規原材料の採用検討時に，少なくとも3ロットの候補原材料を用いて，小規模の反応同等性確認検討（プロセスクオリフィケーション）を行うことが必要である。

　従来の原材料と新規原材料の反応性の変動許容限度を，あらかじめ定めておく。この場合，許容限度を大きくとることで原材料を広く調達できるが，反応性に影響がありうるためバランスを取ることが重要である。製造指示書の改訂，工程管理幅の再検討等を要する可能性があることにも留意する必要がある。

②収率・収量の変動

　新規原材料の反応性に従来品と有意な差が予想されている場合は，製品の収量にも影響が出る可能性がある。収量の予想は，3ロットの候補原材料を用いての小規模反応同等性確認（プロセスクオリフィケーション）では困難であり，実生産規模での検討が必要である。

　反応検討から，推定される収量の増減を，プロセスバリデーションにて検証することになる。この推定は，工程数が多ければ原材料に起因する要素が薄まり，大きな差異となるリスクは少ないが，工程数が少ない場合は大きなリスクとなる。

（6）業者との連携／やりとり

①製造工程変更時の連絡

　原材料の製造工程に変更があったときには，事前・事後の変更連絡が遅延なく行われなければならない。連絡の滞りは，特に日本から管理する場合の変更管理上の大きな障害となる。特に，軽微な変更の申請・報告に関して欧米当局と日本では要件が異なるため，製造業者の認識の差が大きなリスクとなる（P14参照）。

②DMFの変更申請の迅速・正確性

　欧米と日本では，医薬原薬の登録にDrug Master File（DMF）が用いられることが多い。DMFの記載内容は，製造所の手順等の変更に伴い変更申請が必要である。

Point
DMFの変更管理

　FDAでは，製造上の軽微な変更はその都度DMFを訂正する必要はなく，年次照査で報告することでの変更申請が認められている。

　日本では，変更が行われる場合，国内代理人が速やかに変更申請を行う必要がある。

（7）原材料の物流の妥当性・安全性

①輸送距離の変動による品質への影響

　輸送距離は製造所の所在地によって変動するが，輸送上のリスクは距離の変動ではなく，積み替え等中継地の数，また中継地の管理状況が対象となる。

②輸送用の耐久性のある容器の採用

　輸送時は，外気温等の外的ストレス，リスクに曝される可能性が高い。この外的リスクを考慮したうえで，保管条件・容器を選択する。さらに，温度が輸送時に逸脱したことを想定し，品質に及ぼす影響評価を行っておく。

③輸送時の保安

　輸送経路のリスク分析を，輸送業者への聞き取り，外務省，IATA等のファクトブックで調査して行う。保険求償をあらかじめ行い，リスクに対応する，もしくは，大回りでも安全な（リスクの少ない）輸送ルートを選択する。

規制当局への申請

（1）監査対応・供給者評価・承認

　DMFに記載されている重要原材料であれば，一変申請もしくは軽微変更届を規制当局に提出する。申請に先立って，新規原材料の供給者は手順・基準に従って評価され，変更によるリスクが低いことを検証しておかなければならない。供給者の評価は，原材料が持つ影響の大きさを判断して行う。

　変更を計画した時点で，輸送業者への聞き取り，監査（実地，文書）を行い，リスクの大きさを分析する。輸送後には，輸送時の管理状況（温度ロガーによる記録，通関記録等）の提出を要求し，輸送の完全性を検証する。

（2）変更申請の必要書類の準備

原材料が持つリスクの大きさを評価したリスク分析・評価報告書，品質に与える影響調査，同等性調査報告書等を準備する。

新品溶媒から溶媒の再利用への変更

変更の概要

　世界中で環境負荷の影響が問題視される中で，いかに環境負荷を低減するかの検討が製薬企業にも求められている。この変更は，品質・交叉汚染と資源の分配（環境・合理化）の比較で，資源の分配という安全面での変更が，品質面でのリスクの大きさを上回ったときに採用される変更である。

　溶媒の再利用に投入（要求）されるエネルギー量（資源）が，得られる再処理溶媒のエネルギー量（資源）より有意に少なくなければならない。つまり，廃溶媒を再生するのに要した費用が，新規の溶媒を購入する価格より小さくなくてはならない。

　背景には，溶媒の再生には，再生装置，保存装置，再生溶媒の品質管理等の間接費が必要であり，これらの費用の合算として，再生溶媒の原価に含まれるからである。

　この変更は，一面的には"必然的変更（環境問題）"と見えるが，実質は，コスト削減を目指した"<u>私的要因変更</u>"となる（変更の分類はP57参照）。そして同時に，環境負荷の低減という，環境問題に寄与する変更といえる。

変更によるリスク

（1）溶媒の精留管理

①精留法による不純物プロファイル，純度

　混合した廃液を回収して再度製造に使用するには，溶媒の物理的特性・差異（沸点等）を用いて，単一の溶媒を集めることになる。このとき，極端に物理的特性（沸点）が異なり（たとえば沸点の差が数十度），共沸しなければ単一の溶媒に分離が可能であるが，少なからず有機溶媒では共沸の可能性があり，精度よく分離するためには特別な精留塔の設備が必要になる。この精留塔の分離能が，不純物分離不足のリスク要因となる。

種々の混合廃液を処理する場面では,高度の分離能を持つ精留塔を備えて不純物を管理するか,中程度の精留塔を用いての繰り返し精留で不純物を管理するかの2者択一となる。

 Point

膜式と精留塔の分離度

有機溶媒を加熱して,その蒸気を多段式の棚板(シーブトレイ)で堰をつくり,液相/気相の繰り返し蒸留で純度・分離を行う精留塔に対し,加熱した蒸気を直接多孔性膜を通過させて分離する方法が開発されている。ラボ規模では,良好な分離度,低い不純物となる結果が紹介されている。両者の差異は,エネルギー効率,設備投資等を比較するための実績の蓄積が必要であり,保守的な観点からは従来の精留塔の採用のほうがリスクが低いと考えられる。

②エネルギー効率

廃液を蒸留・分離して単一溶媒を再生する工程は,大くの溶媒を気化させるために加熱というエネルギーを消費する工程があり,付加するエネルギーを減ずるために減圧状態におく工程がある。

これ以外間接的に,切り替え洗浄,蒸留残の処理等のエネルギーを付加する工程がある。これらの直接,間接的なエネルギー消費の総和が,可逆的に増加するリスクがある。特に,得られた回収溶媒をエネルギーに換算し,消費されるエネルギーとの比較の結果,消費エネルギーが"負"となれば,環境負荷(経済的)のリスクは減じられると判断される。"正"の場合は,環境負荷(リスク)の増大という結果に至り,変更自体がリスクを増大することとなり,変更は認められなくなる。

さらに,品質管理,機器の保守・償却等の2次的なエネルギー消費も考慮・計算することが求められる。

③精留塔の洗浄・切り替え法

疎水性溶媒の混合廃液から親水性溶媒もしくは含水廃液への切り替え時に,精留塔,蒸発釜等を洗浄して,後の精留への交叉汚染リスクを防がねばならないので,許容される濃度以下に残留量を管理する必要がある。特に疎水性溶媒に塩素系溶媒が含まれている際は,この切り替えのリスクが非常に高くなる。

蒸発釜には,残渣として高沸点の有機物が残留することが多いが,高沸点であることを考慮すると,この残渣のリスクは低いと判断される。ただし,残渣は再利用できずに産業廃棄物として廃棄される。

精留塔は，基本的に内部洗浄はできないので，切り替え時に純度の判明している交換目的溶媒を蒸留して洗浄することになる。この交換目的溶媒は，前処理の溶媒系と後処理の溶媒系の中間の疎水性を持ち，両系の溶媒を混合できる溶媒を選択することが必要であるが，沸点が異なることは交叉汚染のリスク低減になる。このため，分配係数LogP等の指数を参考にした選択が要求される。

（2）再利用溶媒の規格

①再利用溶媒と新溶媒の規格の相関

再利用溶媒と新溶媒の品質規格は同一であることが望まれるが，往々にして再利用溶媒の品質管理では，新溶媒で行われた品質管理項目すべてが行われることはないケースが多い。

品質管理項目を減ずることは，再利用溶媒の特性をリスク分析して，品質に影響を与える可能性のある要因を検出できるならば可能であり，認められる。

②不純物プロファイル

ある特定された不純物が製造工程上影響を与えないことが判明しているときは，リスクが少ないと判断して，新溶媒と異なる規格を設けることは可能であり，文書化して記録に残すことが求められる。

（3）再利用溶媒の品質の一定化

①精留法の均一

精留を経て再生溶媒を得る回収溶媒は，その混合比・構成比は一定ではない。また，その総量も一定ではない。そこで，精留方法（精留塔の理論段数，留出温度，初溜の採取温度等）は統一し，品質ばらつきのリスクを低減する。

初溜を工程内管理（IPC）として分析し，規格に適合しない初溜取得分は加熱釜に戻すことで，品質のばらつきを軽減する。

②精留能力

精留能力を超えて精留を行うことは，分離を妨げ不純物を増加させるリスクである。精留は，常にその最大能力以下の状態を保つように，手順書を整備する。

（4）試験室での品質管理

①同等性検証，品質管理項目

不純物プロファイルの記述に準じて，規格設定は新溶媒の規格に準ずる。その妥当性ならびに同等性は，再利用溶媒の分析した不純物プロファイルの実績で検証する。再利用溶媒と新溶媒の品質規格は，同一であることが望まれる。

②品質検査の迅速性

　IPCを兼ねて分留を分析・評価し，再利用溶媒としての採用を決めることが望ましい。特に，FTIR分析等が有効である。この迅速分析がリスク低減策となる。

(5) 再利用溶媒の保管

①回収溶媒の保管倉庫と防災対策

　回収された溶媒は混合物であるため，保管区分の判断が困難な場合がある。そこで，主成分を主体にして保管することが推奨される。回収溶媒の保管は，基本的に新溶媒とは分離して，廃液区分に保管されることが多い。これは，新溶媒との混同，交叉汚染を防ぐためにも必須である

②再生溶媒の保管容器

　再生された溶媒は，清浄であることが確認された容器に保管されることが必要である。リスク低減のため，新溶媒を包装していた容器に充填することが多くみられる。この場合，添付されていたラベルは廃棄され，再生溶媒を明記したラベルを添付することが混同等のリスク低減のため必須である。

　新容器の空の容器を保管容器として使用することは，混同・交叉汚染のリスクがあることを考慮すること。このことは，使用後の溶媒容器の管理がなされなくてはならないことを示唆する。

③再生溶媒の保管倉庫と防災対策

　保管は通常の溶媒と同じ扱いをする。ただし，新溶媒と区別するために，保管倉庫内では，保管区域を分離して，混在保管は避けること。

(6) 再利用溶媒の使用制限

①再利用の回数制限

　再利用溶媒の使用を無限に繰り返せることが理想ではあるが，顕在化していないリスク，たとえば現在の分析法では検出できない不純物，重合体等がある可能性があり，再生の繰り返しによってそれらが蓄積していく可能性がある。

　この潜在的リスクの評価が困難なため，当局は無制限の再生は認めず，再利用の制限を設けて廃棄することで，潜在的リスクを減ずることを求めている。

②新溶媒との混合限度を行うときの混合比率

　単純な構成の廃液の再生で得られた再生溶媒は，そのまま工程に使用されることがままみられる。この混合では，あらかじめ再生溶媒の品質試験実績と規格から混合比を決めて運用することが必須である。

特に，工程によっては厳格に規格項目が要求されることもあるため，工程を限定せずに使用を認めるのではなく，混合した溶媒の使用を認める工程を製造指示書等に特定することが必要である。

混合した場合は，混合溶媒に新たなロット番号を付与して，トレースできる記録体制を確立するよう，変更管理で規定する。

(7) 再利用溶媒の不純物プロファイル

①不純物規格の設定の根拠

不純物プロファイルの記述に準じて，規格設定は，新溶媒の規格に準ずる。その妥当性は，再利用溶媒の分析した不純物プロファイルの実績で検証する。

②不純物の製品への残留の可能性

溶媒からの製品への不純物残留の可能性・リスクは，再結晶，結晶の清浄等の最終（近接の）工程で高まる場合が多いが，目的物に吸収能が強くなければ，残留のリスクは低い。

ただし，再生溶媒使用時，最終製品の品質試験で，再生溶媒中に検出された不純物が濃縮・残留しないことを照査すること。

③水分規格の限度値と反応性への影響

回収溶媒の多くは水分の混入が認められる。精留での再生工程では，無水溶媒には再生できない。使用用途に基づいて水分規格を求める。この水分規格は，用いる反応に及ぼす水分のリスク分析に基づく。また，新溶媒と同じように，脱水工程を経て，無水溶媒を製造して工程に使用することは可能である。

④他の化学品由来の不純物の残留・混入

再結晶，結晶のリンス，反応に使用した廃液には，数種の溶媒に加え，反応中間体，不純物が含まれていることが容易に推察される。さらに，購入している反応中間体の物理化学的特性は不明であることが多い。不明な状況で精留分離することは，再生溶媒に混入のリスクが高い。

工程管理の段階で，反応中間体の物理化学的特性を分析して，推定される沸点のレンジ，共沸の可能性の有無より，蒸留での混入のリスクの大きさを推定する。この混入のリスクが高い（反応中間体が低沸点，低級アルコール類でアルコール系溶媒と共沸の可能性がある等）場合は，精留することなく，廃棄を選ぶことになる。

精留で得られた再生溶媒は，GCで分析することと並行して，蒸発残の有無で反応中間体の混入を検証するリスク低減手段の採用が望まれる。

規制当局への申請

(1) 変更申請の必要性

　　規格適合の再生溶媒を使用することは，DMF記載内容の変更には当たらないことと扱われてきた。自社内での変更管理が確実に行われ，リスク分析が行われていることが前提である。

(2) 査察・監査対応の回答

　　変更管理が手順に従って行われ，リスク分析で品質に影響がないことを証明する文書の準備が必須である。委託製造の場合は，品質契約の取り決め条項によって，委託主の承認を得ること。

(3) 精留工程の監査・管理状況の報告

　　品質管理報告は，製造記録書の使用原材料の項に，原材料の記録として添付が求められる。年次照査で，回収溶媒の品質，機器管理は照査されること。

(4) 回収装置の保持，補修・保守記録の当局の照査

　　回収装置は，GMP承認機器ではなく化学品製造装置として監督管理される。当局の立ち入り検査では，運転記録，品質記録等を提出することとなる。

エステル化を酸触媒から酵素触媒に変更

変更の概要

　従来の化学反応（強酸性・塩基性，有機溶媒，高温・高圧）から，酵素反応（常圧・常温，水性・中性条件）へ変更することで，エネルギーが低減され，環境負荷低減が可能になる。また，酵素の特異性で副反応が起きにくいので，不純物が少ない反応となる可能性がある。

　その半面，水系反応のため反応槽の容積が増え，巨大な反応装置が必要となり，かつ反応速度が化学反応に比較して遅く，反応完結に要する時間が多くなる。

　化学反応と酵素反応で必要なリソースの総和を比較して，大まかなリスク・ベネフィットのバランスを評価する。加えてその他のリスク要因を分析する。

　ただし考慮すべきことがある。それは，光学活性体では酵素反応で光学的に活性なエステル化ができるため，光学分割しながらエステル化できることで，酵素反応でのエステル化反応が，光学分割反応をあわせて行えることがある。これも考慮すべきメリットである。

　この種の変更は，技術の進歩でより環境負荷を低め，反応を制御できることを期待する変更であり，必然的変更と区分されよう（変更の分類はP57参照）。

変更のリスク

（1）反応速度の管理

　酵素反応では，エステラーゼの選択反応であることから，暴走することなく，原材料が消費されると終点となって自然と収束することになり，リスクは低く，至適反応温度管理によって反応速度制御は可能である。化学反応での，工程管理を行い反応制御することとは異なる。

（2）容積効率の安定化

　酵素反応によるエステル化は希薄溶液（0.1％程）で進行するため，比較的大きな反応器が必要となる。反応の変更により，設備の変更も必要である。製造に用いる反応器は，化学反応に使用する反応器に比較して10倍以上の大きさになる。特殊な要求（材質，耐圧性等）は少ない。反応器の管理リスクは少なくなるが，容積効率が大きくなることで，運転リスクが生じる。

（3）温度管理

①温度管理と至適温度帯

　化学反応でのエステル化は吸熱反応であるので，反応温度は60℃以上の高温となりうる。管理温度の幅で反応を管理することとなり，それ以外では反応速度が著しく低下するため，制限時間を超過するリスクがある。

　酵素反応では，至適温度35～50℃あたりであるが，至適温度での反応速度が最大であることから，至適温度以下の25℃程度でも反応は進行する。

②恒温管理

　酵素反応は至適温度で反応速度が最大となる。至適温度を外れると反応が遅くなるが，反応と温度の相関は緩慢であるので比較的大きな管理幅で管理され，反応速度の低下は大きなリスクとはならない。高温側に反応器内温度が逸脱することで，酵素の活性が低下するリスクを持っている。

③温度管理の逸脱の可能性

　化学反応では，反応槽の温度管理は制御されているため，温度逸脱は起きにくい。酵素反応への変更によって至適温度帯以下で管理することにはなるが，至適温度帯以下の温度でも反応は進行するため，さらに管理温度逸脱は起こりにくくなり，逸脱のリスクは低減される。

（4）管理値幅の厳格化

　酵素反応への変更でエステル化の選択制は高まり，副反応は抑制される。このため化学的純度は高まり，管理幅の強化を当局より指示される潜在的リスクはある。もしくは，変更後の年次照査での化学的純度の安定性が高まることから，管理規格の見直しの要求リスクが潜在する。

（5）化学的純度の同等性

①化学反応と酵素反応で到達化学純度の差

　化学反応では，反応条件が一定に保たれれば到達する化学純度は一定に管理すること

が可能である。この変動リスクを低減するために，プロセスバリデーションを行って低減する。

化学反応から変更する酵素反応では，反応が平衡になるリスクが生じ，原材料が残る可能性があり，到達純度に差が生じるというリスクが発生する。

②未反応原材料の残留

酵素反応への変更で反応が平衡になるリスクが生じ，原材料が残る可能性がリスクとして潜在する。原材料が残るリスク，反応が平衡化するリスクを低減するために，生成物を系外へ除く，原材料を追加して平衡を崩すことの追加操作が必要である。

(6) 不純物プロファイルの同等性

①新規不純物の発生の有無

化学反応では，一定の不純物が含まれ，新規の不純物が含まれると逸脱となる。通常，精製工程で微量な新規不純物は除かれ，リスクは低いと考えられる。

酵素反応では純粋な酵素以外，酵素自体が複合体であるため，副反応が起こる可能性が存在する。

②既存の不純物の減少もしくは増加

反応触媒の変更により不純物プロファイルが変動して，減少もしくは増加する可能性はリスクとなる。

(7) 結晶形の同等性

①光学純度の低下で結晶化しない，アモルファスの生成

光学純度の低下で，一部がジアステローマ状態になることで結晶化が妨害されることが起こり，アモルファス状態になることもありうる。

②不純物組成の変化で結晶形が変化

高度に純粋化しての条件で結晶ができる物質もあり，不純物の混入で純度が低下し，得られる結晶形が変動する。酵素反応の変更により，酵素由来の微細な不純物が混入することで，結晶化が変化するリスクが潜在する。

③種結晶（異物）による形成結晶の変化

投入された種結晶に依存して結晶形が析出される。これは，異種が結晶の軸を決定して，意図に反する結晶を伸長することがある。添加する種結晶を慎重に選択することがリスク回避となる。

④結晶の大きさによるかさ密度の変化

結晶が微細になり，空間を多く含むことでかさ密度が変化することがある。この微細結晶を用いた混合物，顆粒では，かさ密度が低くなり，打錠後圧縮され，厚み等が規格の下限になるリスクがある。

(8) 用いる酵素（微生物）の均一性

微生物を基とする酵素の精製法には，次のリスクが潜在する。

①酵素生産菌の遺伝子固定，遺伝子の変化

酵素生産菌変異の発生の可能性があり，継代培養した酵素生産菌には遺伝子変異した菌が1ppm程度存在する可能性がある。遺伝子変異のため，生成された酵素のアミノ酸構成に差異が生じ，酵素の活性リスクの低下，不純物の生成の可能性が高まる潜在リスクがある。

②菌の純粋性，酵素の精製法

酵素生産菌は，酵素製造者が純粋な親株を維持して，その親株から培養して，酵素を生産している。親株の選択，純化の過程で，もしくは保管過程で異種株の混入が起こるリスクは潜在的に存在する。

菌体由来の酵素は，純粋な酵素，たとえばエステル化酵素，純粋な酵素タンパク等を指すのではなく，菌体を破砕して得られた目的の酵素を含むたんぱく質を精製して得られた混合物である。このため，組換え遺伝子を用いて高度な精製を行う医薬品とは異なり，菌体由来の酵素は複合体・混合物といわれ，分子篩カラム等で精製して製品化されており，純粋な酵素ではなく，混合物に別の反応を起こさせる可能性がある。

③酵素生産菌の死滅，ファージ感染

酵素生産菌の親株は，管理された条件下（極低温）で小分け保管されている。培養する際は保存株を溶解して培養する。この管理条件下では，遺伝子変化，交叉汚染するリスクは少ない。

しかし潜在的には，この保存条件でも死滅するリスクがあり，常に保存株は複数保管する必要がある。ただし，時間をかけて培養すると，ある確率で遺伝子変化と交叉汚染で菌が死滅することがある。この交叉汚染源としてファージ，カビ等が知られている。

(9) 酵素（微生物）供給の安定性

①酵素の品質均一生産

酵素は天然物であるため，力価にはばらつきが生じ，酵素反応の反応速度に差異が生じる。酵素の力価による酵素反応速度差異のリスクを低減するため，使用前に酵素活性

能を測定して，添加量を調整して反応速度を一定化する。

②酵素の供給安定化

　酵素は，製造に時間的な制約があり増産は容易でないため，供給量に関してのリスクがある。複数の供給源を持ち，供給を安定化することが必要。

③活性能の時間的制限

　酵素反応において，酵素の触媒能力は反応の経時的に劣化して，反応速度（エステル化能は）は低下していく。酵素を担体に固定して酵素活性の低下を緩慢にすることで，反応制御の不安定リスクを低減する。

（10）酵素（微生物）保管条件の検証・不安定さ

①保存安定性

　酵素の安定性は，冷暗所において保存されることで保たれるといわれている。光（紫外線），熱，電磁波・放射線に曝されることで，酵素は失活する。

②毒性を持つ化学物質・微生物のコンタミ・交叉汚染

　酵素の活性を低下するリスクとして物理的な要因以外に，化学物質，微生物のリスクが存在する。特に保存中に化学物質，微生物の交叉汚染を防止する必要がある。このためには，ペーパーから隔離，微生物の汚染源の排除等の手段がとられる。

③酵素失活の検証

　酵素の不活性化は，酵素自体の外観からは判別できないため，使用前に，酵素能・力価を検定することで，失活した酵素を判定する。酵素は，冷暗所に保管しても，経時的にその酵素能は低下するため，使用期限を使用前に検証する。

（11）微生物汚染管理

①保存酵素（微生物）の汚染防止

　保存容器の密閉度の不足により，微生物の交叉汚染が起こり保存酵素（微生物）が失活するリスクがある。小分け，計量時に，茶さじ等による交叉汚染で，微生物の増殖保存酵素（微生物）が失活するリスクがある。

②保存酵素（微生物）の劣化，酵素活性の不活性化

　容器の光透過（UV光）による酵素失活による，保存酵素の活性劣化のリスクがある。保存容器の密閉度の不足による有毒化学物質（オゾン，塩素）の侵入・浸潤汚染にて保存酵素の活性劣化のリスクもある。

（12）排水管理

①反応液の廃棄による汚染の防止

　反応液には少量ながら活性が残る酵素が残留する可能性があり，不活性化せずに廃水ピットに廃棄すると，環境汚染を引き起こすリスクがある（塩素，酸素での不活性化が必要）。

②酵素（微生物）の調整時の廃液管理

　調整実施に，酵素（微生物）の周囲への汚染，その清掃で発生した廃液からの汚染のリスクがある。
　酵素（微生物）の調整時に容器から発生した廃液による汚染リスクがある。

規制当局への申請

（1）一変申請の準備

　従来は，光学分割の工程が変更となるが，得られる結晶の化学的な名称に変更はなく，重大な変化はないと判断されていた。しかし現在は，酵素反応による光学分割によって，光学比と生物活性が変化する可能性があるため，品質・安全性・有効性に影響を及ぼす変更であるため，一変申請が必要となる。生物活性が変化するために追加の臨床試験を要求されることもある。

Point

同等性の検証データの作成

　酵素による光学分割は，不純物プロファイルが変化するリスクがあるため，同等性を証明する検証データが必須となり，新規不純物の生成リスクが潜在する。酵素の持つ不均一性が，不純物プロファイルの同等性に影響を及ぼすリスクがある。

棚式乾燥機を回転式乾燥機（コニカル乾燥機）に変更

変更の概要

機器を変更する要因は種々あるが，以下に代表的なものをあげる。

- 機器の老朽化，故障のため更新が必要となった。しかし同一機種・仕様の機器を代替できない場合，必然的に類似した仕様の機器に変更することになる（**必然的変更に該当**）。
- GMP，指針，法令・ガイド等の改正で，現在使用している機器の仕様が陳腐化し，ガイド等に適用した仕様の機器に変更せざるを得なくなる場合（**必然的もしくは外的要因変更**に該当）。
- 生産量を拡大するため生産に関する仕様を増大したため，機器を変更することが求められた（**私的変更**に該当）。
- 逸脱，OOSが発生した場合，その根本原因調査で，機器の仕様・操作性等に根本原因が発見され，その根本原因の除去のためのCAPAとして，機器・操作仕様の変更を行うことになった場合（**必然的もしくは外的要因変更**に該当）（変更の分類はP57参照）。

設備の変更に関してGMP事例集（2022年版）に示されているので紹介する。

> [問] GMP13-21（適格性評価）
> 製造設備を変更する場合であって，変更後の設備が製造販売承認（届出）書に記載されている操作原理に該当すると考えられるときには，GMP省令第14条に規定する変更管理の手順に従って変更してよいか。
> [答] 差し支えない。必要に応じて，GMP調査権者に相談するとともに，設計時適格性評価（DQ），設備据付時適格性評価（IQ），運転時適格性評価（OQ），性能適格性評価（PQ）を実施すること。

　　機器を変更する場合，その背景は必ずしも1つの原因ではない。ここでは棚式乾燥機を回転式乾燥機（コニカル乾燥機）に変更する例について，以下4項目に分類する。

- OOSの原因調査で，棚式乾燥機の能力に起因する場合（乾燥原理，容量，庫内の温度が均一でないなど）。
- 単位時間での乾燥能力を増強する場合。旧式の乾燥機では乾燥時間が長く，乾燥能力が不足である状況。
- 異物混入対策，防止。棚式乾燥機では，被乾燥物の挿入，乾燥物の回収時に，異物混入のリスクがある。
- 老朽化した機器のため，校正，保守点検が困難になり，要求規格を満たさなくなる。

 ## 変更によるリスク

（1）乾燥の均一性

①温度の不均一
　　棚式乾燥の場合，バットの位置により乾燥速度に差が生じる。庫内の温度は均一性ができるだけ担保されるように設計されているが，棚，トレーの数・位置によりコールドスポットが発生する。また，温度の不均一は原理的に避けることができない。このため，乾燥の均一性を担保するために乾燥時間を長めに設定する。

②バットにのせる原薬量に乾燥速度が依存する
　　表面からの水分の揮散が乾燥原理のため，単位重量あたりの表面積で乾燥時間が決められ，乾燥条件は，被乾燥物の深度に依存する。深度と乾燥時間は一次相関ではない。
　　コニカル乾燥機に変更することで，棚式乾燥機での乾燥速度不均一のリスクを低減することが可能である。

> **Point**
> **コニカル乾燥機の場合，投入した湿った原薬が塊になる**
>
> コニカル乾燥機では，偶然に被乾燥物が回転で塊になり，その塊の持つ粘着性で，崩壊せずに固化した塊を得ることが起こる。この場合，回転数と内径に依存する場合がある。

(2) 乾燥効率（時間，エネルギー）

①エネルギーの伝導度

これは物質と密度に依存する熱伝導度が均一でないため，多くの場合，実地の試験で検討することになる。特に密度は，被乾燥物を得た条件（圧縮ろ過，遠心ろ過）では高密度の被乾燥物を得ることになる可能性がある。

②エネルギーの分散均一性

棚式乾燥機は，被乾燥物への均一な熱エネルギーの伝達ができないリスクがある。このために乾燥の不均一性を誘導するリスクがある。コニカル乾燥機へ変更することで，エネルギーが均一に分散することになり，リスクが低減される。

③装置内・外表面を介してのエネルギーの伝導効率

旧式の装置は往々にして省エネ対策が施されておらず，装置表面を通じて，大きなエネルギーの移動が起きていた。その対策には，単純に大量の断熱材で覆うことで対処することが多かったため，保守点検に過度な労力を要することがあった。

旧式の装置からの変更で，省エネ対策を考慮した装置へ代替することによって操作・管理の手順が大幅に変わる可能性がある。実地での教育訓練が必要な変更である。

④排気速度と加熱速度

常圧での棚式乾燥機では強制排気が行われ，系外に蒸発した水分として熱エネルギーが放出される。この棚式乾燥機には，大量のエネルギー消費のリスクがある。

減圧での棚式乾燥機では，減圧下系外に蒸発した水分が排出される。加熱エネルギーは，被乾燥物の水分蒸発に消費される。常圧に比較してエネルギー消費は少ないが，固体内部の熱エネルギーの伝導には時間を要する。エネルギー総和は乾燥に必要な時間であり，伝導率の低いことで時間がかかり，大量の総エネルギーが必要であった。

コニカル乾燥機では，被乾燥物が回転して塊が破砕され，熱伝導率が棚式乾燥機に比較して良好なため，乾燥時間が短縮され，エネルギーの消費が抑えられる。コニカル乾燥機に変更することで，エネルギーの消費でリスクが低減される可能性がある。

（3）庫内の汚染，残渣

①容器内のデッドスポットの存在

　棚式乾燥機は，開閉口を全開することが可能であるため，庫内のすみずみまで観察点検が可能であり，デッドスポットがなく，残留のリスクは低い。コニカル乾燥機では，開口より目視できないデッドスポットが内部に存在する可能性があることで，洗浄不足・内部での残留リスクが存在する。

　このリスク低減のために，洗浄法の確立と残留の検証が求められる。

②容器内の微粉の飛散

　棚式乾燥機では，乾燥済みの被乾燥物は固化していることが多く，乾燥機内では微粉の発生リスクは低いが，乾燥機から乾燥バットを取り出すにあたって落下等の防止が必要である。

　コニカル乾燥機内では，微粉が飛散しながら回転するため，開口するまでの静止時間が必要であり，静止時間を短縮すると，微粉が庫内から流出するリスクがある。

③洗浄の容易さ

　棚式乾燥機では開口部が全開できるため，洗浄は容易である。このことで，残留のリスクは低減できる。

　一方変更されるコニカル乾燥機では，開口部より目視できない部分があるため，残留のリスクがある。低減策として内部に洗浄液を満たして洗浄するなどの対応が必要である。

（4）作業員の被ばく

①開放時の飛散

　前述のとおり棚式乾燥機では，乾燥済みの被乾燥物は固化していることが多く，乾燥機内では微粉の発生リスクは低い。コニカル乾燥機は，開口の際，内部の微粉が噴き出すリスクがある。これは，作業者への被ばくのリスクがあることを示唆する。

②内部洗浄時の被ばく

　棚式乾燥機の内部洗浄時，壁等への飛散付着がない限り，洗浄時の被ばくリスクは低く抑えることが可能である。

　変更するコニカル乾燥機での洗浄時，微粉が飛散する可能性があり，作業員の防護服着用によるリスク低減策が必要である。

③乾燥固体の取り出し時の被ばく

　棚式乾燥機からバットに入った乾燥した被乾燥物を取り出す際の被ばくのリスクは，

バットを落とさない限り非常に低いと推察されるのに対して，コニカル乾燥機から乾燥物を取り出す際，粉塵の発生等による被ばくのリスクがある。

Point

　棚式乾燥機からコニカル乾燥機に変更する場合，取り出しがリスクの拡大になるため，取り出しのリスク低減のため，密閉系で行うことが対策として立案される。しかしながら，密封系で乾燥物を取り出した後，密封系を解除する際の粉体の飛散リスクが常に残る。このリスクは，防護服，マスク等着用で低減する。

　手動にてバットに入った乾燥した被乾燥物を容器に移しかえるとき，乾燥物の飛散がリスクとして存在する。この作業の被ばくのリスク低減には，密封を目的としたグローブボックス等の設備内で，非定常作業であるバットからの乾燥物の取り出しを行うなど対策が必要であるが，コニカル乾燥機からの密閉状態の取り出しに変更が可能となり，リスクが低減されると推察される。

(5) 操作性

①湿った原薬の乾燥機への投入法

　棚式乾燥機からコニカル乾燥機に変更する場合，乾燥機への投入法も変更になる。遠心ろ過で得られた湿った原薬を，棚式乾燥機では乾燥用のバットに小分けにして広げる作業がよくみられる。コニカル乾燥機では，直接的に容器内に投入することになり，付着・飛散等のリスクは低減すると推察される。

　コニカル乾燥機に投入する際，湿った原薬をこぼすなどの事故事例から，落下のリスクが存在するため，この投入の際の飛散防止のリスク低減策が求められる。

②乾燥容機の密封性

　棚式乾燥機からコニカル乾燥機に変更するとき，乾燥機の開口部の閉鎖系の機構の差異にリスクが存在する。棚式乾燥機では，開口部のパッキング部位に湿った原薬が接触するリスクは低いが，コニカル乾燥機では接触のリスクは高くなる。

　パッキング部位に湿った原薬が接触・付着することによる密閉性低下のリスクには，開口部の密閉時に点検，清掃・除去等を実施することが求められる。

③容器の真空開放の容易さ

　コニカル乾燥機内では，微粉が飛散しながら回転するため，開口するまでの静止時間が必要である。静止時間後に真空開放を行うが，開口時に粉塵が飛散するリスクが，低

いながらも存在する。棚式乾燥機では，開口時の飛散のリスクはコニカル乾燥機より低いと推定される。

(6) 乾燥終点の確認

①乾燥（水分値）のモニタリング，品温の測定の真値

コニカル乾燥機では，被乾燥物の品温を直接測定することで，乾燥のモニターを行うことができる。変更前の棚式乾燥機では，庫内の温度を測定することで，間接的に乾燥をモニターする様式が多い。

②過乾燥防止

間接測定法を採用している棚式乾燥機では，過乾燥，未乾燥が発生するリスクが存在する。棚式乾燥機において，電子対を直接被乾燥物に挿入して，直接測定を併用し過乾燥，未乾燥のリスクを低減する。

規制当局への申請

棚式乾燥機から回転式乾燥機（コニカル乾燥機）への変更は，単純に乾燥機の変更であるため軽微変更届と思われがちだが，実際は棚式乾燥機で乾燥した原薬は解砕の工程を含むことが多い。このため，棚式乾燥機で得られた原薬の粒度と回転式乾燥機（コニカル乾燥機）で得られた原薬の粒度では，粒度分布に差が認められる可能性がある。

この粒度分布の差は，医薬品の溶出性に影響を及ぼす可能性があるため，粒度分布と溶出性の変動を検証して，一変もしくは軽微のいずれで扱うかの判断が求められる。海外においても同様である。

主原材料の調達先を海外に変更

変更の概要

　多くの場合，生産に使用される原材料コストの削減が，医薬品のライフサイクルにおける課題となり，より安価な原材料を求めて海外製の原材料を求めることが行われている。この原材料調達先の変更は，繰り返し行われる可能性がある変更である。

　環境，生産性から国内の生産が中止されたため，やむを得ず調達先を海外に変更せざるを得ないこともある。もしくは，製造量の増加に伴い原材料の需要が高まり，国内外の原材料供給先を必要として変更する例もみられる。

　ここであげる変更例は，明らかな生産の効率化，利益を主眼にした変更，<u>私的要因変更</u>である（変更の分類はP57参照）。

変更によるリスク

（1）製造設備の規模・利便性の妥当性

　調達先の候補は，必要な生産能力（規模）を有していることが必須となる。また，必要に応じ生産規模の拡大ができることも重要で，増設・増強が容易にできることが，調達先選定の際に考慮すべき事項である。この場合，生物医薬品のようにシングルユースの並行的増強でも可とする。

　生産規模の拡大は，補助設備の増強も必要である。特に，原材料の保管設備，精製水，蒸気の製造量の拡大も必要である。ユーティリティーの拡張性をもって，施設・設備が設計されているかの検証を怠ることは，調達先評価では大きなリスクである。

品質管理能力の確認

増産時は,原材料,中間体の品質管理の業務負担も増加する。増産による品質管理能力を多めに見積もって対応することがリスク低減策になる。

(2) 出発原材料の調達の妥当性

主原材料調達先業者が,さらに元となる原材料を外部から調達している場合,変更においては変更前の業者から示される原材料の規格を充足することが必須となる。このとき,経験のない原材料を取り扱うこととなり,不慣れゆえに規格に適合する原材料を見つけ出せないリスクがある。

原材料の調達のリスクは,選定評価時に調査して,あらかじめ代替案を準備してリスクを低減することが重要である。

(3) 継続性

企業として永続するために,運転資金,改善・改良のための投資資金が潤沢にないと,GMP・QMSを維持できなくなる高いリスクがある。財務状況が悪い場合は,定期的に財務諸表を入手してリスクの大きさを判定する。

(4) 品質の安定性

プロセスクオリフィケーション,プロセスバリデーションを実施して得られた医薬品の品質結果と,変更前に収集されている品質結果との同等性を検証する。

プロセスクオリフィケーション,プロセスバリデーションの試験結果のばらつきと元のばらつきを検定して有意な差がないことを検証する。マスターバリデーションプラン(MVP)に,その許容差異・偏差を定義しておく。

品質の安定は,少ない生産数では判明しにくいので,少なくとも1年間に生産された医薬品の品質同等性は年次照査で分析する。

(5) 地政学的リスク

原材料の供給国が海外に変更されると,科学的なリスク以外にも,地政学的リスクの考慮が求められる。特に,法的,保安上のリスクが対象となる。

- 生産国において,医薬品の生産管理・品質管理の法令,さらに薬局方が制定され,有効に働いている場合,法的なリスクは低いと考えられる。特に規制当局がPIC/S加盟国であればさらにリスクは減じられる。
- 独自のGMPシステムを構築している場合は,実地監査を行わないと評価できない。

- 原材料の生産目的が医薬品がメインではなく，化学品として製造されている場合は，GMP対象の原材料ではないことが多くあるので注意が必要である。品質管理がGMPの求める水準であることを実地監査等で検証することが求められる。

(6) 物流の妥当性・安全性

空港・港湾施設の利便性と安全性が確保される必要がある。海外で製造された原材料は，その輸送経路のリスク評価，低減策が必要となってくる。特に保管（倉庫）・輸送工程全体での品質低下，異物・交叉汚染・偽薬（すり替え）のリスクである。

製品の保管温度の管理幅からの逸脱，混同・すり替えは往々にして原材料の生産国の空港・港湾施設（通関・保管倉庫），中継地点と到着国の空港・港湾施設で起こる傾向がある。

輸送時に温度管理が必要な原材料，特に冷凍条件が要求される場合は，定時出発，定時到着・迅速通関が必要となる。これが管理できない場合，品質への大きなリスクとなる。このリスク低減のため，GDP対応の品質システムを持っている輸送業者を選定して，比較的リスクが低い方法を選択する。

規制当局への申請

主原材料，副原材料の製造者が，DMF登録されている場合，変更に先立ち，変更申請と承認が必要である。変更申請を行うためには，原材料の変更が製品の品質・有効性・安全性に影響を及ぼさないことを証明できる文書が必要である。同等性が証明できない場合は，承認されないリスクが高い。

変更する製造所のQMS，品質管理が原材料の品質またその原材料を用いて製造された医薬品の品質等が担保できることを証明するため，製造所を調査することが要求される。当局の査察はなくとも，申請者は常に製造所の品質システムの恒常性を監視すること。

 Point

> 品質システム確認には，入手した原材料の品質トレンドの分析，文書監査等の種々の方法を用いる。この定期的な監視を怠ることは，変更の妥当性に対して当局が疑義をはさむ余地となる。

7 汎用溶媒の購入先変更

変更の概要

　汎用溶媒，たとえばメタノールは，世界的に製造・流通している有機溶媒であるが，複雑な流通・販売経路のため，その製造先を特定することは非常に困難である。日本の元詰め会社においても，ロットごとに入荷先，製造社が異なることがあるといわれている。これは，メタノールの規格はJISで規定されているため，JIS適合する品質のメタノールは同一と扱われるためである。

　この変更は，医薬品用品質の溶媒の取り扱い中止等で，やむを得ず購入先を変更する外的要因変更に分類される（変更の分類はP57参照）。

変更によるリスク

（1）源製造元の特定

　経由地での詰め替えで，真の製造元の特定は不可能に近いが，日本に輸入される直前の寄港地を確認して，日本の元詰め会社を製造者とすることが妥当であるとすることで，リスクを回避する。可能であれば，日本の輸入業者に，CoAの提示を求め真の製造者を特定することで，品質面でのリスクが低減できる。

（2）日本での詰め替え業務での汚染防止

　輸入される汎用溶媒は，数百〜数千トン単位である。日本の輸入元にて，200リットル，20リットルに小分けされるもしくは20Kリットルほどのタンクローリーに詰め替えられる。このとき，専用の容器に詰め替えられる場合，交叉汚染がないことが，リスク対策となる。

　原材料である輸入溶媒は，真の製造者を確かめることができない状況での詰め替えで

ある。その詰め替え場所の監査ができないことが多いので，文書監査，詰め替え場所の写真の提示を求めて，汚染防止を確認する。

基準適合性確認

溶媒の供給元変更時，代表的なロットを複数入手して品質検査を行い，微量成分のJIS規格適合性，もしくは自社受け入れ規格への適合を確認して，変更を認める。特に，製造に用いる量が大きな汎用溶媒では，微量成分が濃縮する可能性があるため，リスク低減のため十分に行う。

規制当局への申請

汎用溶媒の購入先が，マスター製造記録もしくはDMFに表示・記載されていれば，軽微変更届となる。FDAに対しては，年次報告での記述で対応できる。

また，マスター製造記録もしくはDMFに表示・記載がない場合，社内の変更管理（購入先の追加等）の対応が可能である。

8

崩壊剤の変更

 ## 変更の概要

　ICH Q10では，医薬品のライフサイクルにわたっての品質改善が命題とされているため，製薬企業は承認後も医薬品の継続的改善を行い，より安定した品質に保つ，また患者負担の軽減と効果の安定・向上を目指すことが求められている。その改善活動の過程で発生する変更は**必然的変更**に区分され，以下に示す錠剤中の崩壊剤の変更，錠剤からカプセル剤等の剤形，包装形態等の変更がそれに該当する（変更の分類はP57参照）。

 ## 変更のリスク

(1) 錠剤特性変化の有無

　申請内容（溶出性・崩壊性等）に影響を及ぼす可能性があるため，変更前のプロセスクオリフィケーションで，錠剤の特性変化の有無を確認する。有効性，安全性，製品特性への影響を適切に判断することが必要となる。

(2) 崩壊剤の添加量もあわせて変更する場合

　2重の変更のため，安全性・有効性へ影響を及ぼすことが容易に予想される。物理化学的性質のみならず，生物学的同等性の確認が必要となることが多い。この場合は，一変申請が必要である。臨床試験を要求される可能性もある。

(3) 安定供給のリスク

　供給元が製造終了，天災等で製造が困難になり崩壊剤が入手できない状況下での変更は，変更が安全性・有効性へ影響を及ぼすため，物理化学的性質のみならず，生物学的同等性の確認が必要となることが多い。

(4) 錠剤硬度への影響

　　賦形剤，崩壊剤の変更で，錠剤の硬度が崩壊性に連動して変化するリスクがある。硬度は打錠後の密度と相関があり，品質，特に移動での損傷（欠け）に影響がある。

(5) 色調の変化

　　賦形剤の多くは白色であるが，その白色の色調に差があることがあり，打錠後色調の差がみられることがある。外観の確認も行う。

規制当局への申請

(1) 一変申請が必要な場合

　　医薬品の改善を目的にした崩壊剤の変更は，安全性・有効性へ影響を及ぼすため，物理化学的性質のみならず，生物学的同等性の確認が必要となることが多い。この場合は，一変申請が必要である。また，著しく溶出性，崩壊性が変化した場合には臨床試験を要求される可能性もある。

(2) 単純な供給元の変更の場合（同一崩壊剤）

　　購入経路のみの変更で製造元が変わらない場合は，社内の変更管理で対応できる。局方記載の賦形剤，崩壊剤の製造元変更は，申請書に供給先の記載がある場合は，軽微変更届が必要，記載のない場合は社内の変更管理で対応する。ただし，変更による影響調査は行わねばならない。

(3) 溶出性等の物理化学的特性の変更

　　溶出性等の変更は製品改良のための変更となり，改良後の錠剤の安全性・有効性へ影響を及ぼすことが目的のため，生物学的同等性の確認が必要となることが多い。この場合は一変申請が必要で，臨床試験が要求されることとなる。

　　または，医薬品の特性上，崩壊剤の製造者の経年的な変化で，登録時の溶出性・崩壊性を維持できなくなることが稀に起こるため，微細な変更が生じる。同一崩壊剤でも，申請時の特性を維持するという観点が必要になる。申請時のパラメータ範囲内であれば，社内の変更管理で対応。それ以上の変更の場合は，軽微変更届もしくは一変申請の対応が求められる。溶出性等の特性が範囲内であれば，生物学的同等性試験は要求されない。

製剤工程（処方，剤形等）の変更

変更の概要

処方や混合，製造指図書等製剤工程での変更は，品質改善や開発上頻繁に行われるものである。また剤形を変更することで，製剤の崩壊・溶出・吸収される部位を変えることが可能になり，より有効性の向上・患者負担の軽減が期待される，<u>安全性・品質向上変更</u>に区分される（変更の分類はP57参照）。

変更によるリスク

（1）処方の変更

主要な添加剤の変更は，一変申請の対象になり，変更前後での品質・安全性・有効性に変化・影響がないことの証明が求められる。処方変更は，品質の変動リスクを有している。

（2）混合等の指図書の変更

処方の変更が承認された後，最初のバッチ製造前に製造指示書を改訂して，担当者に教育訓練を実施することが要求される。処方の変更が文書を含めて実施されていないと，旧処方と混同するリスク，混同により品質の異なる製品が製造されるリスクがある。

（3）打錠工程での加圧シークエンスの変更

処方の変更により，打錠時加える力のパターンが異なる可能性があり，所定の硬度が発現されないリスクがある。

（4）剤形（錠剤から硬カプセル剤など）の変更

①投与方法の変更で，安全性，有効性に影響がある変更

剤形の変更が，その医薬品の持つ効力・安全性に著しい影響を及ぼす可能性があるため，その効果，安全性を評価・検証するために，臨床試験が必要である。

②製造設備の大幅な変更

製剤設備が打錠機から充填機に変更されるなどは，新規設備導入と同様に適格性評価，バリデーションを行わねばならない。保存安定性試験実施も要求される。新規の設備であるため，当局による承認が必須である。

③包装資材の変更

錠剤とカプセル剤では大きさが異なるため，包装の様式変更も必要とされる。この包装の形状変更に伴い，包装資材も変更することが計画される。変更した包装資材の保存安定性に影響するリスクがある。

可能であれば，複数の気候帯，多湿条件での保存安定性試験を行い，この保存に関するリスクを低減する。

④有効期限の見直し

剤形の変更とともに保存安定性試験を行い，新たな有効期限を設定することになる。

⑤臨床試験の要否

剤形を変更することで，溶解・溶出性が異なることが予測され，吸収傾向が変化するため，有効性・安全性が変化するリスクがある。このため臨床試験が必要となる。

規制当局への申請

（1）変更申請

微量の成分であり，その量が承認書に数値として記載されていない場合は，品質・安全性に影響がない項目として判断されていると推測される。この場合は，軽微変更届もしくは一変申請が必要ではないと推測される。

しかし，その量が著しく変更される場合は，軽微変更届が必要と考える。

Point

原薬や製剤の品質特性を決定する添加剤の変更は,リスクの高い変更とされる。特に対FDAでは,このリスクに基づく分類が報告・申請の分類にリンクする。

(2) 登録内容に含まれるか

変更申請の要否は,登録承認項目に該当するかの判断も基準となる。一般に登録承認項目に該当しない項目は,品質・安全性には影響を及ばさない,リスクの低い項目と判定される。

もし,滑沢剤の量を増やすことで,型抜き性が向上する場合は,目的が明らかであり,そもそもの添加量が微量であることから,省かれることがあった。

標準的仕込み量に関するGMP事例集(2022年版)の記載を紹介する。

GMP7-20(標準的仕込み量)
[問] 製造工程におけるロス(バグフィルターからの原薬たる医薬品の抜け,集塵,設備への付着等)の増加等,製造過程における突発的な問題が生じた際,医薬品製品標準書において定められた標準的仕込み量から仕込み量を変更してよいか。
[答] 突発的な問題について,GMP省令第15条の規定に従って逸脱の管理を行うこと。逸脱の是正措置又は予防措置として,仕込み量を変更する場合には,当該変更はGMP省令第14条第1項第2号に示す製品品質若しくは承認事項に影響を及ぼす場合又はそのおそれがある場合に合致する可能性が高いことから,変更の際には一部変更承認申請(該当する場合には軽微な変更の届出)の必要性について製造販売業者に事前に連絡し,確認を受けること。

GMP7-22（標準的仕込み量）

［問］製造販売承認書の「成分及び分量又は本質」に「適量」と記載してある成分について，GMP省令第7条の医薬品製品標準書にはどのように記載すればよいか。

［答］原則として加えるべきものとして記載する必要があるが，例えば製造販売承認書にpH調節剤「適量」とあるときは加えない場合もあると医薬品製品標準書に記載しても差し支えない。なお，製造販売承認申請書において「適量」と記載することができる成分の種類及び具体的な成分名については，「医薬品の承認申請書の記載事項について」（平成12年2月8日医薬審第39号）に記載されており，この中で「pH調整剤及び錠剤の糖衣剤については，複数の成分についてその分量を「適量」と記載して差し支えない」とされている。また，「適量」または「微量」と記載された成分の配合量，製造方法等について承認申請書の記載範囲内で変更を行う際には申請者の責任において変更内容の妥当性を裏付ける資料を作成し，保存しておくことも示されており，製造業者等においては「適量」または「微量」と記載されている成分について上記変更を行う際には，申請者たる製造販売業者に連絡をし，必要な資料を提供すること。

 Point

管理値として管理可能か

微量の添加剤（滑沢剤，香料等）で，その添加量が＜0.01％の場合，申請書類には，添加量が記載されていない場合もあるが，管理しないことは，コンプライアンス上のリスクであり，管理せねばならない。品質管理では分析できない量であるが，仕込み量にて厳密管理することがリスク対策となる。

10 PE瓶を ブリスター包装に変更

変更の概要

　包装資材は，医薬品の保管時，外的要因（酸素，光，水分等）から守ることを主目的にする。通常包装資材の変更は，医薬品の保管時の品質向上を目的とするため，<u>安全性・品質向上変更</u>となる（変更の分類はP57参照）。

　ブリスター包装への変更は，誤飲というリスクを防止する変更である。閉鎖系（個包装）に変更して，一度に処方量より多く服用しないように改良することである。

変更によるリスク

（1）水分含量の変化

　錠剤の長期保管により水分含量が変化するリスク，その水分の変動（吸湿）での分解促進のリスクが潜在的にある。包装資材の変更で，個々の錠剤の水分量変動が抑えられることで分解リスクが低減される。

　錠剤の水分量一定化（乾燥状況をつくる）のため，PE瓶では乾燥剤の挿入が行われているが，この乾燥剤の誤飲という医療事故がリスクとしてある。包装資材の変更で乾燥剤が除かれ，誤飲というリスクが除去される。

（2）製品の保管安定性

　包装容器をPE瓶からブリスターに変更することは，最終製品保管での要求事項（乾燥した場所での保管）の必要性が薄まるサプライチェーンの最終保管場所である薬局において，注意事項（乾燥した場所・施設に保管）が遵守されなかった場合に，錠剤が水分を吸収して分解が促進されるリスクが低減される。

（3）コスト

変更によるリスクの増加と，得られるメリットのバランスで評価する。この場合，安全性に関するリスク（保管中の安定性，誤飲）と，変更に必要なコストのバランスを考える。ブリスターの製造包装ラインの導入においては新規包装への変更であるため，機器のDQ, IQ, OQ, PQが必要であり，作業員が慣れていない機器，包装工程ならば，教育訓練，認定が必要になる。

（4）重要検査項目（CCP）の変更

包装容器を変更することで包装の原理が異なるため，品質管理項目が追加される。また，リスク検出のためのIPC項目の重要性も変更が必要である。PE瓶包装では，工程品質管理項目ではなかった容器密閉性が，CCPに変更される。

規制当局への申請

包装容器・形態の変更は，3極とも製品品質に影響を及ぼす変更とみなされ，事前の変更申請が求められる。ただし，保存安定性に対する影響が，ネガティブリスクとして働くことなく，保存安定性の向上に寄与するため，リスクの低い変更申請となる。この変更申請時，包装資材の変更前後の保存安定性比較試験結果を提出すること。この結果は，使用期限終了時において，少なくとも品質が同等以上であることを示すことが必要である。

潜在的なリスクとしては，申請時のPE瓶を用いての保存安定性試験が，使用期限を担保するためにぎりぎりの結果であった場合，申請・承認条件を満たさない可能性がある。

原薬包装容器をPE袋から アルミラミネート袋に変更

変更の概要

　アルミラミネート袋への変更は，光感受性が高い原薬において，光によって分解が促進されるリスクを低減するため取られる手段である。<u>安全性・品質向上変更</u>となる（変更の分類はP57参照）。

変更によるリスク

（1）保存安定性

　この袋の材質の変更は，原薬の保存安定性に影響を及ぼす"光による分解リスク"を低減することが期待される。この変更は，DMF登録内容の変更になるため，安定性試験結果とあわせて，DMFの変更申請を行う。保存安定性以外に，材質の変更は種々の物理化学的特性（光安定性，水分吸収等）に影響を与えるため，変更の影響リスク分析が求められる。

（2）排出性能

　容器の特性（特に静電気，表面の滑沢性）は，内容物の排出性に影響を与えるリスクがある。特に静電気は表面に微粉を吸着し排出性を阻害して，袋内部に粉体が残ることになる。現在は帯電防止措置を行った材質のフィルムが普及しているので，それによってリスクが低減される。

（3）清浄確認法

　包装容器の汚染は，直接交叉汚染に連動する非常に高いリスクが存在する。このため，原薬包装に用いる容器は，医薬品専用に製造された袋を採用することで，リスクを低減

する。包装資材の受入試験として，内部の湿式もしくはふき取り検査で異物（微粒子）が，許容範囲内であることを検証する。

（4）乾燥剤の添加

吸湿性のある原薬では，保管時の水分量が増加して品質規格を逸脱する，さらには水分含量の増加で分解が促進され，不純物増加のリスクがある。この水分増加の防止として包装資材の変更と同様に，乾燥剤添加の変更が，低減策としてよく用いられる。

> 変更において，選択する乾燥剤の吸湿能力が十分でない場合，一定の乾燥状態に保つことができないというリスクがある。このため，容器内の空間容量，包装容器の水分の膜透過性から，最適な乾燥剤と添加量を算出する。選択，算出された乾燥剤・量を用いて保存安定性試験を実施し，乾燥剤・量の能力不足のリスクを低減する。

（5）乾燥剤の密封性

乾燥剤は，医薬品との直接的な接触を防ぐため，多孔性PE等に包装されている。乾燥剤の漏出防止のためには，購入した乾燥剤の堅牢性を事前に確認しておく。

（6）汚染・混入対策

汚染・漏出防止のためには密閉性に加えて，検出性を高めるため医薬品と識別可能な色を用いることが，リスク低減策になる。乾燥剤の包装材は，耐久性に優れた素材を用いて包装することで交叉汚染のリスクを低減する。

規制当局への申請

原薬の包装形態変更はICH Q7に従って行うが，この包装形態の変更は一般にDMF記載内容の変更となる。このため，変更申請に先立ち，該当するDMFを用いて医薬品の登録を保持している企業に対しての変更申請を行い，その許可が必要となる。ただし，保存安定性に対する影響が，ネガティブリスクとして働くことなく保存安定性の向上に寄与するため，リスクの低い変更申請となる。

登録を保持している製薬企業への変更の連絡には，2段階の手順が必要となる。①変更の目的，リスク分析・評価と検証試験計画，②変更前後の保存安定の比較試験結果を

提出。この結果は，使用期限終了時において，少なくとも品質が同等以上であることを示す必要がある。該当する企業の承認後，DMFの変更申請を提出する。このとき，当該の製薬企業に提出した保存安定性試験結果（変更前後の比較）をもって，申請となる。

　潜在的なリスクとしては，申請時のPE袋を用いての保存安定性試験が，リテストデータを担保するために結果としてぎりぎりの結果であった場合，申請・承認条件を満たさない結果を提示する可能性がある。

12 試験法の変更

変更の概要

　科学技術の進歩で，分析機器および技術の精度は日々向上している。医薬品品質管理においては，常に最適な能力を有するように見直されねばならないため，品質試験に用いる機器・試験法は恒常的に変更が検討される。**安全性・品質向上変更**となる（変更の分類はP57参照）。

確認試験をHPLC法からNIR法に変更する際のリスク

　品質管理での確認試験は，従来HPLCが用いられていたが，技術の進歩で異なる原理の確認試験も要求されるようになった。このため，簡便に分析ができ，機器の機構が簡便である分析機器が選ばれ，中でも近赤外分析機（NIR）が選ばれることが多い。

(1) 適格性検証の実施

　適格性の検証における最重要項目は，NIRで医薬品を的確に確認できることであるが，特異的な波長での吸収が重なり，特異性が出ないことがある。このリスクは，NIRの積算回数を増加することで低減できる。水分の吸収を除去する処理で低減する。

(2) 試験法のバリデーション

　適格性で，特異性のある吸収が決められた条件で，水分，粒度，色相等に関しての偏差で頑健性のリスクがあるので検証する。この検証に先立ち，積算回数に要する感度を検討してリスクを低減する。

(3) データベースの構築，データファイル蓄積用のデータ取得

　NIRでの確認試験に用いるデータベースの構築が必要である。このため，標準品を含

め多くのサンプルのNIR分析結果をもとに，データベースを作ることになる。

純度の低い，夾雑部・不純物を含むサンプルを用いてのNIR測定結果を含むデータベースでは，確認試験でのマッチング点数が低くても適合判定されるリスクが存在する。

このため，純度が判明している試料を用いて測定し，マッチングの高得点の吸収帯を選択してデータベースを準備する，もしくは市販のデータベースを確認試験に用いる。

微生物試験を委託する際のリスク

微生物試験を実施する無菌設備を所持していない製造所，もしくは微生物試験の実施頻度が低いため維持管理が困難で，外部委託を行うことが多い。

(1) 委託先の施設

微生物試験は，無菌施設を有し，十分に区分管理が行われ，交叉汚染防止能力を持っている施設で行われる。無菌施設の適格性検証，定期的な再クオリフィケーションを行い，施設のリスク分析を行うが，適切な頻度を定めて実施していることが必要である。現地監査で施設の持つリスクを検出することがまず求められる。

(2) 委託先の品質システムの成熟度

微生物試験では交叉汚染防止を主に行うが，交叉汚染が起きたときに，実施したCAPAが効果的に再発防止に寄与するかが重要であるため，委託先の品質システムの成熟度が試される。

交叉汚染の発生リスクの主な原因は，担当者もしくは設備・施設の維持不備が多く，そのリスク低減のためには，教育訓練・認定が必要であり，不足していればリスクとなる。

規制当局への申請

試験法の変更（改良・改善）に関しては，日本では一変申請が必要となり，変更前後でのバリデーションの結果，試験結果のトレンド分析を行い，トレンドが有意に変化しないことの証明（リスク低減）が必要である。

なお，品質に関する評価基準を厳格化することであれば，当局から承認を得られないリスクは非常に低い。当局は，ICH Qガイドラインに基づく継続的な改善を求めていることから，試験法の改善は歓迎される。

しかし，試験の委託に関しては，試験先の能力等のリスクの存在から，リスク評価の結果を求められることが予想される。特にFDAは，外部（委託）試験機関を，当該の医薬企業の品質試験室の一部と取り扱うため，委託先のリスク評価（現地監査，試験法の移転時の移転前後の同等性評価・リスク評価）が求められる。また，委託開始後は，委託先を常時リスク分析・評価の観点で管理することが求められる。

13 スケールアップ

変更の概要

　スケールアップは，開発から商用生産に至る過程で行われるもので，<u>必然的もしくは外的要因変更</u>に該当する（変更の分類はP57参照）。スケールアップに関してGMP事例集に例示があるので紹介する。

GMP13-68（変更時のバリデーション）
［問］原料，資材，手順，製造設備等が同じであって，ロットサイズのみを変更するとき，変更時のバリデーションを実施する必要があるか。
［答］原料その他の条件が同じであっても，当該ロットサイズの変更が品質に影響を及ぼすおそれのある場合は，変更時のバリデーションを実施すること。なお，製造販売承認書において標準的仕込み量やロットサイズが定められている場合には，当該変更はGMP省令第14条第1項第2号に示す製品品質若しくは承認事項に影響を及ぼす場合又はそのおそれがある場合に合致する可能性が高いことから，変更の際には一部変更承認申請（該当する場合には軽微な変更の届出）の必要性について製造販売業者に相談すること。

10Kリットルスケールの培養槽を200Kリットルの培養槽に変更する際の例

　バッチサイズを10倍以上（200/10 = 20倍）とするため，一変申請が必要である。一変申請には，スケールアップの影響評価の結果，同等性評価の報告書の提出が必要である。ただし，10Kリットルスケールが，1Kリットルのシングルユース培養槽を10基使用

して製造している場合には，スケールアップには該当しないと考えられ，一変申請の対象にはならない。

(1) 培養槽の新設申請

スケールアップのために，200K リットルの培養槽を新たに設置するため，所在地県の薬務課に申請する。申請業務は，遅延なく行うことが必須。

(2) 新規の培養槽での技術移転

培養槽の運転の技術の移転元は，製造者となり，技術は文書もしくは，直接移転される。技術移転に伴い，機器のDQ，IQならびにOQを行うことで，移転が文書化されることになる。

(3) プロセスバリデーションの実施

技術移転されたことを検証するため，実際に製造して，規格に適合した製品がつくられていることを検証する。新設備の持つリスク，運転上のリスクを評価することになる。

(4) 同等性の評価

プロセスバリデーションは，規格に適合した製品をつくることができることを検証するが，品質面では変更前の品質と同等であることを検証，証明することである。不純物のプロファイルの変動，特に新規不純物が安全性・品質に影響を及ぼす量以上に生成されないことを証明する。

この同等性評価は，不純物の生成というリスクを最小限にすることが求められることから，少量の新規不純物を一律に取り扱うことなく，リスクがないかを検証する。

(5) SOPの整備

新規の培養槽のため，従来の操作とは異なることが多い，また大型化のため，操作の特異性が出てくるため，少量機との差異を強調して文書化し，操作面からのリスクを減少させる。

(6) 教育訓練

同種の培養槽であっても，教育訓練は現機を用いて行うことが推奨される。これは，文書の熟読での教育訓練は熟読度の差があり，実際の操作を理解していることではないので，実際に手に取って教育訓練を行うことが，認識漏れのリスクを減じる。

廃水設備の変更（増強）のリスク

(1) 生産増に伴う排水処理能力の増加と消費エネルギーの増加

　　生物医薬品用原薬の製造設備の増強は，単純に並列に設備数を追加するので，その追加数に相関して，排水量，要求処理能力が増大する。製造と排水処理能力のバランスが保たれることができず，排水能力が製造能力の律速要因になる可能性がある。

　　このため，少なくとも排水処理能力は，生産量に比較して十分に大きな設備とすることがリスク低減となる。

(2) 排水設備への改造

　　製造量の増加に伴い，排水処理能力の増強が必須になることは起こりうる。この排水処理能力の増強は，設備の新設と同じくリスク分析が必要であり，特に増強までの時間を要するリスクが潜在している。

　　それは，排水処理能力の増強は，施設の改造，追加をともなうため，規制当局の承認が必要である。また廃水処理施設の改造では，その処理能力を検証しての許可・認可のため，完成後十分にプロセスクオリフィケーションを行い，廃水が基準（規制）値を満たすことを証明せねばならない。

　　廃水設備の増強時，設定した時間内に廃水処理能力が十分に出ないリスクがあるため，十分な時間的余裕が必要になる。

規制当局への申請

　　文中にも記載したが，製造規模を拡大することは，日本では一変の対象となり，当局への申請には十分な時間と準備が必要となる。この場合は，製造設備のスケールアップにとどまらず，ユーティリティーの拡大もあわせて申請が必要である。そして，スケールアップしたことで，品質に影響を及ぼすリスクは極力少なくする必要がある。特に不純物プロファイルの変化は，追加臨床試験を求められる。このため，厳密なリスク分析・評価に基づくスケールアップ計画を策定して，事前に当局相談を行う。この際，スケールアップのマスターバリデーションプランの提出が望まれる。また，培養槽・シングルユースを増設してのスケールアップは変更申請にはあたらない。

MEMO

5章

技術移転，導出

key note

　医薬品の製造では，開発段階から商業生産段階，さらに大規模生産段階と進むにつれ，製造場所，製造機器等を変更する。多くの製薬企業は，技術移転という手順書・基準で，段階を追っての生産能力の拡大に対応していると思うが，この技術移転も大きくは変更管理の一部である。

　本章では，技術移転の流れについてケーススタディも交えて解説する。

技術移転プロジェクトの ポイント

 技術移転は必ず行われる

　グローバルな技術移転のガイドは，ISPEならびにWHOのガイド等が示されているが，EMA/FDAは，直接的なガイダンスなどは出していない。技術移転に関するこれらの指針は，柔軟な方法で適用できる枠組みの役割を果たすことを意図している。

　技術の移転というイベントは，医薬品のライフサイクルのどの過程でも起こり得る大きな変更である。たとえば，開発の初期段階からより後期の開発段階に移行するため創薬の研究室から試験プラントへ技術移転する，さらに臨床試験用のサンプルを作るため，登録申請を行うためのスケールアップ（いわゆる生産技術部門への技術移転），製造する設備を持つ工場で登録申請を行う医薬品（原薬）を製造するための技術移転，登録が承認された後増産するために，より大きな製造設備を有する製造工場への技術移転，海外での登録取得，承認後の商業生産のための生産工場への技術移転，特許権の終焉で後発医薬品の登録が迫ったときの譲渡先への技術移転など，医薬品の誕生から承認後の段階まで，製品ライフサイクルのあらゆる段階で，技術移転は行われる。

　繰り返しになるが，技術移転は大きな枠組みの変更管理の一部である。このため，技術移転の手順書は，変更管理の手順書の一部として扱われることも可能であるが，独立した手順書として定めることもできる。

 手順書

　「技術移転」の手順書は，「技術の移転元と，受領する相手（移転先），たとえば開発部門と製造部門の間，または製造部門と異なる製造部門の間での文書化された専門的知識（知見）とともに，プロセスの移転を管理する論理的手順を網羅すること」と定義づけることができる。これは，開発中または商用生産中に得られた記録・文書化された知識と経験を技術移転文書としてまとめ，品質部門にて照査・承認され，責任ある技術を，移

転先の権限のある当事者（通常，品質部門・技術部門）に引き渡すための体系的な手順として構成される。

技術移転の目的は，移転された技術の重要な要素を効果的に再現・実行することである。検出済みのリスクを低減するために文書にした技術の移転と，その文書化された技術を移転先にて再現・実証して，同じ（もしくはより良い）品質の医薬品（原薬）を製造して，関係するステークホルダーを満足させることといえる。そのステークホルダーには，医薬品を使用する患者，さらには規制当局も含まれる。

これまで，技術移転に関して規制当局は詳しいガイドラインを出してはおらず，ISPEとWHOがガイドを発表している。本書も，これらを参考にしていることに留意されたい。

プロジェクト計画

製薬業界を取り巻く環境の変化から，ビジネス戦略は絶えず変化している。生産能力増強の必要性，事業統合や再編，合併が頻繁に行われ，これらの変化により，社内および企業間の技術移転がますます増える傾向にある。

技術移転には，品質システム内で訓練された技術者／専門家を起用し，開発，生産，品質管理のすべての側面を網羅したデータを文書化し，文書化された計画的なアプローチが必要とされる。技術の移転元，移転先は，このような移転プロセスを管理する専門の部門が設けられていることが多い。

委託製造企業では，専門の技術受領部門が特化して存在している。これらの移転に携わる部門は，別個の部門であっても，技術部門の一部であってもかまわない。GMP組織内で，明確にその責任と報告・承認が決められていることが求められる。

移転を成功させるためには，以下の一般原則および要件を満たす必要がある。

- プロジェクト計画は，品質面を網羅し，品質リスクマネジメントとの原則に基づくべきである。
- 移転元と移転先の製造・品質管理能力およびQMSは同等でなければならないが，必ずしも同一である必要はない。使用する設備と製造機器・分析機器は同様，近似の設計・仕様であることが望まれる。
- 潜在的な規制上のギャップを含む技術の移転元と移転先の包括的な技術的リスク評価や技術ギャップ分析は，移転候補の選定，移転のプロトコール作成時，移転終了判定時に必要に応じて実施すべきである。
- 技術の受け手である移転先では，適切に訓練されたスタッフが準備されているか，もしくは移転計画プロジェクトのプロトコールに従って，技術の移転先で訓練されるべきである。

- 技術の移転元と移転先の国，および製品が供給されることになっている国での医薬品製造に関する規制要件は，移転計画プロジェクト全体を通して調査，尊重，遵守されていなければならない。
- 移転元と移転先の間で効果的なプロセスと製品情報の伝達が円滑に行える手段，人員が配置されていること。
- 技術移転の合格基準は，移転先のプロセス，または管理方法に準拠して製造された製品が，移転元と合意した規格を常時満たすことができると証明されること。それが文書化され，品質部門の承認を受けて移転文書になっていることを合格基準とする。

Point

リスクの変動に留意

技術の移転先が，移転計画プロジェクト全体を通して移転中に特定の問題を発見した場合，もしくは潜在的なリスクが増大，顕在化したときには，技術の移転先は移転計画プロジェクト全体の継続的な技術情報・知的情報管理を確実にするためにも，技術の移転元に問題点・増大したリスクをフィードバックする必要がある。

異なる企業間での技術移転

技術移転プロジェクト，特に異なる企業間の技術移転プロジェクトでは，技術移転は法的かつ経済的な意味を持っている。このため，知的財産権，ロイヤルティー，価格，利益相反および守秘義務を含む問題が，移転計画プロジェクト全体を通して影響を受ける可能性が予測される。このような問題が発生した場合は，移転の計画および実行前・実行中に，技術的プロジェクトとは別個に対応する必要がある。

営業的な問題点は，技術移転プロジェクトの開始以前に合意に至っていることが，迅速かつ円滑な移転を推進するといえるので，関連部署の協力は不可欠である。

移転元から移転先へ開示すべき技術における透明性の欠如は，効率悪化を招く恐れがある。そのため，移転計画プロジェクト全体を通して必要な技術の開示が行われるように，事前に守秘契約事項で，取り決めておくことが重要である。

技術移転の必要情報

　透明性が必要なことは，移転される技術が持つ良い情報のみならず，さらに重要な"悪い情報，失敗例"に関する情報の開示である。リスクを分析するにあたり，"負"の情報は，成功例以上に貴重な情報であり，失敗例の原因調査報告書は，リスク低減の最大の武器になる。"負"の情報を開示しないことは，透明性において移転元と移転先の信頼関係と潜在的なリスク管理に大きな影響を与えるので，非開示は避けねばならないことである。

関連する部門

　移転に伴う関連部署は，品質部門（保証，管理），技術部門，生産部門，物流部門が主体であるが，管理部門が含められることもある。管理部門はむしろ移転計画プロジェクト全体での責任分担を文書化して，それぞれの責任と役割を明確にすることが求められる。その中で，管理部門が，コーディネーター・文書管理等の責任を担うこともありうる。

　なお本書では，技術的な合意（技術の移転元と移転先の製造所，または技術の移転元と移転先品質管理部門もしくは品質管理部門のラボ）が存在する場合を想定している。そのような技術協定が存在しない場合（たとえば，各国の公的検査機関による検査または調達機関の検査の場合），代替アプローチが必要となる場合がある。また，技術のサイト内またはサイト間の移転を成功させるために必要な活動に関する一般的な概論・手順を解説することに重点をおいており，特に，技術移転を成功させるために必要な基本的な検討事項と実例を中心に解説している。

治験薬の技術移転

　技術移転の一部として，研究開発中の治験用医薬品を製造することもあるが，すべての項目が治験薬の技術移転に適用されるとは限らない。治験薬の製造時の技術移転は種々の選択肢，多種の範囲があるため，一概にまとめることは困難であり，治験の種類・ステージなどを考慮して，必要な項目を選んで移転することが推奨される。

各項目別：技術移転に際して必要となる情報

 出発物質

　移転先で使用される出発材料（原薬および添加剤）の仕様・規格および関連するその特性は，移転元で使用されているものと一致していなければならない。プロセスまたは製品に影響を及ぼす可能性のある出発材料（原薬および添加剤）の特性に関してはリスクアセスメントに基づき，リスク低減策としてのバリデーションをとおして分析・評価されるべきである。

　移転先で同等の仕様の出発材料を使用するためには，移転元は，出発材料のドラッグマスターファイル（DMF）または原薬マスターファイル（ASMF）のオープンパートの開示，または同等の技術情報を移転先に提供しなければならない。

　この中で，医薬品製造のための原薬に関する十分な追加情報を提供せねばならない。移転元から移転先に開示される，もしくは提供される情報の例としては以下のようなものがあげられる。

- 製造業者および関連サプライチェーン
- 製造プロセス概要
- 重要工程パラメータ（CPP）
- 製造管理上のポイント
- プロセスコントロールおよび中間体の合成系内に投入される工程を含む合成経路のフロー図
- 物理化学的特性（顕微鏡写真やその他の関連データを含む）
- 結晶形に関する情報
- 種々の溶媒に対する溶解性
- 溶液中のpH
- 分配係数とその測定法・内因性溶解速度（測定方法を含む）

- 粒子の大きさと分布（測定方法を含む）
- かさおよびタップ密度，表面積および比表面積など，バルクとしての物理特性
- 水分含有量および活性水分量データならびに吸湿性の知見，特別な取り扱いが必要かの情報
- 薬局方に準拠しての微生物試験情報（原薬が抗菌活性を有しているか否か，微生物限度試験，細菌エンドトキシンおよびバイオバーデンレベルを含む）
- 出荷規格と有効期限の妥当性根拠
- 保存安定性試験の要約（推奨される使用期限・リテストの期限，その設定根拠）
- 安定性試験の結果概要
- 特定された不純物とその標準品があればそのリスト，不純物の閾値の設定根拠，強制分解性試験で得られた想定される分解不純物
- 分解生成物に関する情報，潜在的に観察される分解生成物のリスト，提案された規格および実測値のデータ
- 安全性情報（作業者への注意喚起情報を含む）
- 安定性および環境への影響（例：物質安全データシートに記載されているもの）および熱，光または湿気に対する感受性を含む，取り扱い，廃棄，後処理に必要な注意事項
- 保管および取り扱いへの影響に関する特記事項

賦形剤・添加剤

　医薬品中に含まれる賦形剤・添加剤は，安全性・有効性に潜在的な影響を及ぼす可能性があるため，その仕様および関連する機能特性は，技術の移転元から移転先に提供される技術情報の中で開示されるべきである。

　移転先で同等の仕様の賦形剤を使用するためには，移転元は，賦形剤のマスターファイル（DMF Ⅲ）またはASMFのオープンパートの開示，または同等の技術情報を移転先に提供しなければならない。

　以下に提供されるべき情報の例を示す。

- 賦形剤の製造業者および関連サプライチェーン
- 酸化防止剤，防腐剤，または特定の賦形剤を含む処方の場合，処方に加える目的，妥当性および賦形剤の機能性の説明・情報
- 賦形剤の大きさ・粒度（特に固体および吸入投与形態の場合）
- 溶解性プロファイル（特に吸入および経皮投与形態の場合）
- 分配係数（測定方法を含む）（経皮投与形態の場合）
- 内因性溶解速度（測定方法を含む）（経皮投与形態の場合）

- 粒度分布と測定方法・測定機種（固体，吸入および経皮投与形態の場合）
- バルク物理特性（かさおよびタップ密度，比表面積および気孔率に関するデータを含む）（固体および吸入投与形態の場合）
- 打錠特性（錠剤・固形剤の場合）
- 融点（軟化点）範囲（半固体，経皮投与形態の場合）
- pH範囲（注射剤，半固体または局所，液体および経皮投与形態の場合）
- イオン強度（注射剤の場合）
- 特定の密度または比重（非経口，半固体または局所，液剤および経皮投与形態の場合）
- 粘性および／または粘弾性（非経口，半固体または局所，液体および経皮投与形態の場合）
- 浸透圧（注射剤）
- 水分含有量および活性水分データおよび特別な取り扱いが必要な注意要件（固体および吸入投与形態の場合）を含む吸湿性
- 含水量範囲（注射剤，半固体または局所，液剤および経皮投与形態の場合）
- 微生物学的評価（局方のモノグラフ）（滅菌性，細菌のエンドトキシンおよび，賦形剤が静菌活性を示す場合のバイオバーデン）
- 規格，出荷判定，および使用期限の制限等の仕様と正当性
- 製剤設計時の経皮塗布軟膏の，皮膚上での展開性，剥離性と接着性のクライテリアに関する情報
- BSE/TSEの汚染がないことの証明
- 包装資材

プロセスおよび医薬品に関する情報

　技術の移転元は，移転先に医薬品の定性的および定量的な組成，物理的特性・規格，製造方法，工程管理，品質管理方法と規格，包装用の材料と構成，および取り扱い上の安全性と注意事項を含めた製品仕様書を提供しなければならない。

　移転先においては，移転完了後，さらなる開発やプロセスの最適化を行うために必要となる可能性が出てくることが容易に推定される。移転元はその対策としてプロセス開発の経過に関する情報（プロセス開発報告書）を提供しなければならない。プロセス開発報告書には，次の項目が含まれことが望まれる。

- 製造法の開発とその根拠（合成経路，剤形・処方，使用する機器・設備，臨床試験の目的・設計資料）
- 臨床開発に関する情報（合成経路および剤形，技術選択，機器，臨床試験，および

製品処方（成分）の選択した理論的根拠等）
- スケールアップに関する情報（プロセスの最適化，重要なプロセスパラメータの統計的最適化，CPP（重要工程パラメータ），パイロット製造レポート，パイロット規模の開発または製造されたバッチの数と適合バッチに関する分析情報など）
- 製造情報・報告書（スケールアップの開発，製造したバッチ数，そのうちの適合バッチ数，逸脱・変更管理報告）
- 変更の経緯（たとえば変更管理ログブック，公定の最適化のために行ったプロセス開発，一次包装，分析法の変更管理）
- 逸脱が発生したときの原因調査報告書，調査の対応策
- 現行の製造プロセス確立に用いたバッチの数および適合判定，逸脱および変更管理報告書
- 変更の履歴と理由。プロセスの最適化または改善の一環としてのプロセスまたは一次パッケージングまたは分析法への変更を示す変更管理ログ
- 原因調査とその結果に対する対応策
- 製造プロセスに関連するEHS（健康，安全，環境問題）。たとえば保護具の着用，服装基準
- 移転元の施設・設備，環境などの現状（たとえばHVAC，精製水製造等を含む）
- 現在の移転元の処理およびテストに関する情報
- 設備仕様と設備の詳細な説明
- 出発原料，原材料の安全性と危険性のデータ（SDS）および保存条件の情報
- 製造工程の詳細な説明（製造フローマップ，製造記録の原本，検証された中間体の保存時間と保存条件，原材料の工程への投入・添加方法，工程間でのバルクの中間体の移動方法など）
- 分析法開発の経緯，詳細な説明
- 中間体の同定と管理方針の妥当性検証（重要管理項目の確認，特定の剤形での重要な性能の識別，重要管理項目の管理幅，統計的プロセス制御（SPC）チャート）
- デザインスペース

バリデーション関連（計画書と報告書）

　移転にあたり，移転元は自社の保有している設備，システム，能力と移転先の保有している設備，システム，能力の差異（ギャップ）を特定し，これらの相違点について十分に協議して，適切な製品品質を提供するプロセスを実行するために，工程が持つ潜在的なリスクを分析することが求められる。

　移転先，移転元で製品品質の同等性を保証するためには，両者のギャップを理解し，対処する必要がある。移転元から受け取った情報に基づいて，移転先は自らの生産・包

装能力を考慮して，生産開始前に関連するプラント・機器の運転手順書および文書を作成する必要がある。以下のような移転先の情報に基づいて，移転先は，自らの生産能力を考慮して製品を必要な基準に適合させ，生産開始前に関連するプラント運転手順を定め，その文書を作成する必要がある。

- 年次品質照査
- 保存安定性
- 承認された製造計画と製造指示書の一式
- 移転される製品が持つ特性による設備機器への特別な仕様・要求事項もしくは環境条件

移転先でのプロセス開発は，以下のタスクに対処するということである。

- 施設と設備の適合性と適格性の比較と評価
- 移転先での人と物の流れ，製造プロセスの説明（プロセスマップやフローチャート）
- 中間体の保持時間，製造エンドポイント，サンプリングポイント，サンプリング技術を含む製造における重要なステップの決定
- 製造手順書（たとえば調合，造粒または配合・溶液調製，錠剤の打錠，錠剤のコーティング，カプセル化，液体充填，一次および二次包装，および工程内の品質管理），梱包，清掃，試験および保管
- 必要に応じて，サイト固有で保存安定性データを取得して評価する
- バッチサイズの変更を行う場合，規制要件への準拠

 ## パッケージング・包装工程

　包装作業の移転は，生産移転と同様の手続きを行うことが求められる。技術の移転元から移転先に移される包装に関する情報には，適切な容器または容器システムの仕様，設計，梱包，工程または表示の要件，不正開封防止および偽造防止対策に関する追加情報技術が含まれること。
　これらの情報は移転先で包装部材の品質を確認するため，受入検査を行う際にも必要である。
　移転元は，包装部材の品質試験のために，図面，デザイン，材料の仕様書を移転先に提出しなければならない。提供された情報に基づいて，移管先は包装部材の基本品質に関する適合性調査を実施する。包装部材は，適切な製品の保護能力（環境の影響による製品の劣化防止），安全性（容器から製品に望ましくない物質が放出されないこと），適

合性(品質に影響を及ぼす可能性のある相互作用の欠如)および性能(薬物の体内での応答機能)を有していることを確認する。

洗浄に関する情報

　製造現場で異なる製品を製造していると,医薬品および原薬は,他の医薬品または原薬による交叉汚染のリスクがある。たとえば汚染や交叉汚染,作業者の曝露,環境へのリスク・影響を最小限にするため,適切な防御・洗浄手順を準備する必要がある。

　清掃の手順とそのバリデーションは,移転先の設備機器の構造,また移転先で製造している医薬品の特性に依存する。移転元は,移転元での洗浄に関する情報を提供する。この情報には,前の製造品の残留物から次の製造品への混入リスクを考慮した,残留医薬品の毒性,患者への影響に関しての項目が含まれ,残留物(洗浄時)の作業者への曝露基準(無影響レベル)および残留物の環境汚染が含まれる。好ましくは,交叉汚染を最小限に抑える防護手段を,移転元から移転先に開示されることが求められる。以下のような情報が必要となる。

- 有効成分,賦形剤および溶剤の溶解性に関する情報
- 活性成分の投与量,投与経路,治療対象領域と毒性評価
- 既存の洗浄手順と洗浄確認方法。必要に応じて追加情報を提供する必要がある(例:洗浄バリデーションの実施例と洗浄確認指標)
- 使用される洗浄剤に関する情報(有効性,原薬の分析法への影響有無,残留した洗浄剤の除去)
- 洗浄確認を検証するためのサンプリング手法の妥当性(添加・回収試験の方法と閾値)

　移転前に移転元は,確立している製造後の製品残留物(分解物を含む)の許容残留基準情報と根拠を提供すべきである。移転元から提供された情報に基づき,出発物質の特性を考慮して移転先で洗浄手順が準備される(たとえば効力,毒性,溶解性,腐食性,分解性および温度感受性),製造装置の設計および構成,洗浄剤および製品残留物も検討課題となる。

　製造,包装および洗浄システムの実施に関しては,確認バッチ(プレプロセスクオリフィケーションバッチ,デモンストレーションバッチ)は通常,正式な検証を開始する前にプロセス能力を確認するために行う。確認バッチが製造される場合,最低限,重要な工程パラメータおよび最終製品仕様を評価する必要がある。

　移転先でプロセス能力が確立された後,移転先の製品,プロセス,または方法が正式な仕様を満たしていることを確認し,プロセスのバリデーションと洗浄バリデーションを行うことが求められる。

分析法に関する情報

　品質管理・分析方法の移転は，移転される製品が登録された規格に準拠していることを評価するために必要なすべての品質・分析試験が含まれる。当然ながら，最終製品規格に含まれない管理項目・工程管理の規格項目を評価するために必要なすべての品質・分析試験が含まれる。

　プロセスバリデーションの準備・研究のため，移転される製品のサンプルの品質試験が移転先によって行われる前に，医薬品，出発材料，包装資材，および洗浄（残渣）サンプルを試験するために使用される分析法は，試験ラボに移転されている必要がある。ただし，プロセスバリデーションサンプルは，移転先，移転元，または第3の委託試験機関で試験することが可能なため，いずれかの試験部門に移転が行われていなければならない。

　分析方法の移転のために，移転作業を定義するマスタープラン（プロトコール）が準備されていなければならない。分析法の移転プロトコールには，技術の移転元と技術の移転先の目的，移転の範囲，責任範囲が含まれていなければならない。その文書に含まれる内容としては以下のものがあげられる。

- 出発物質，中間体，最終製品の仕様・規格とその品質・分析試験方法
- 原材料の仕様・規格とその品質・分析試験方法
- 包装資材のデザインと受け入れ基準
- 文書管理基準（プロトコール，その結果，関連情報として伝える報告書の書式・承認手順があればそれを含む）
- 逸脱管理手順とOOS（規格外試験結果）の処理手順

移転元の責任は以下のとおりである。

- 必要に応じて，分析者やその他の品質管理スタッフのための分析法のトレーニングを提供する
- 品質管理部門のテスト結果の分析を支援する
- 特定の製品，出発物質，またはサンプルを洗浄するために移転されるすべての方法を定義する
- 実験計画，サンプリング方法および許容基準の定義を決める
- 移転中の分析法検証レポートを提供し，その堅牢性を実証する
- 必要に応じて使用される機器の詳細（利用可能であれば，検証報告書の一部）および標準サンプルを提供する
- 品質管理で使用された，承認された手順を提供する

● 移転された分析法によって得られた分析結果と移転元の分析結果の合格基準・許容偏差を決める
● 移転報告書を照査して，承認する

移転先の責任は以下のとおりである。

● 移転元が提供する分析方法をレビューし，移転プロトコールの実施前に合格基準に正式に合意する
● 品質管理部門のために必要な設備・機器が利用可能であることを確認する。具体的には，移転先が使用する機器は，移転される方法または仕様に対して適格な機器であることを確認する
● 移転先の分析者は十分に訓練されていること，経験豊富な人員が十分数確保されていることを確認する
● 承認された試験方法，報告，記録および照合データおよびサンプルの受領および試験のステータス（承認，却下，試験中）を明確にした文書管理システムを準備する
● 移転プロトコールを実行する
● 分析法の実効性をサポートするために，移転先の品質管理が適切なレベルであることの検証を実行する
● 移転報告書の作成と承認を得る
● 適切な教育訓練が分析者およびその関係者に対して実施され，すべての訓練活動および結果が記録として残さていること

　品質管理項目が公的試験法，モノグラフにて行われる試験（たとえば，日本薬局方，欧州薬局方，米国薬局方）は，引用番号をプロトコール，報告書に記述することが必要である。
　主な分析試験方法の考えられる試験設計および合格基準を**表5-1**に示す。試験方法の移転では，試験法の変動および感度を考慮して，合格基準を決めねばならない。品質パラメータ，分析方法および分析対象物の特性に基づいて，代替の試験法および合格基準を適用することができる。

表5-1 試験設計および合格基準（例）

試験項目	移転時に考慮すべき事項	移転時, 繰り返し数	立ち上げ準備	合格基準	
				直接的	統計的
含量	特記事項はない。特定されていない含量を安定性試験に使用すべきではない。	移転先, 移転元で2名（以上）の分析者で3ロットサンプル3回繰り返し	移転先, 移転元で異なる分析機器, カラムを用いて, 独立した試験として異なる機器とカラムの組み合わせ。独立した溶液調製	平均とばらつきの比較	移転先, 移転元の品質管理部門試験室の値がt検定で95％信頼区間で, ≦2％の差異
均一性	含有量測定の方法が類似していれば, あえて分析法の移転は必要とはされない	移転先, 移転元で2名（以上）の分析者で1ロットサンプル	HPLC, カラムの組み合わせをあえて変えてみる。2カ所で独自の調整液を準備する	移転先での含量の誤差範囲は±3％以内	移転先, 移転元で品質管理部門試験室の値がt検定で95％信頼区間で, ≦3％の差異
溶出性	力価が異なる溶出をまとめて試験する	6ユニット		移転先, 移転託元の溶出の差は±5％	移転先, 移転元の溶出プロファイルの比較
洗浄確認	移転先, 移転元で同じスワブ器具を採用		3濃度でスパイクして洗浄確認を行い, バリデーション残留基準値内, もしくは基準値の±10％以内	すべての濃度で合格基準を超えた場合不適, 90％のスパイク試験で合格基準以下ならば適	
微生物限度試験	移転先, 移転元で同じプロトコールで試験を実行する	3回の検証	異なるロットを採用	定性的に微生物の回収を検証プロトコールに決められた許容限度内の回収	
不純物, 分解物, 残留溶媒	薬物ピークと比較した計算の応答係数を確認する ●移転先での定量限界を確認する ●クロマトグラムの比較 ●添加回収実験の精度と精度の比較	移転先, 移転元で2名（以上）の分析者で3ロットサンプル3回繰り返し	移転先, 移転元で異なる日, 機器・カラムで試験を行う	移転先の分析値は, 移転元の値±25％もしくは, 中心値が移転元の中心値±0.05％（低濃度）	移転先, 移転元で品質管理部門試験室の値がt検定で95％信頼性で, ≦10％の差異（中間濃度）

（WHO guidelines on transfer of technology in pharmaceutical manufacturingを参考に作成）

試験の委託に関して，GMP事例集（2022年版）の記載を例示する。

GMP11-2（他の試験検査機関）

［問］GMP省令第11条第1項第4号の試験検査を，構造設備規則第6条第7号及び「薬事法及び採血及び供血あつせん業取締法の一部を改正する法律等の施行について」（平成16年7月9日薬食発第0709004号）第3の10製造行為の部分的な委託の規定を踏まえて他の試験検査機関を利用して行う場合，どのような事項に注意すべきか。

［答］　1．製造業者等は，GMP省令第11条の5第1項及び第2項に基づき，適切に取決めを締結し，当該外部試験検査機関の利用に係る検体の採取（GMP11-44を参照），保管及び送付，試験検査の実施（改正省令公布通知第3の15（1）④を参照），試験検査設備の点検及び整備（GMP11-38を参照），試験検査成績書の作成，試験検査記録（改正省令公布通知第3の15（1）④アを参照）の作成及び保管（記録の信頼性を確保するために必要な業務を含む。），試験検査結果の報告等の必要な事項を，手順書等にあらかじめ規定しておくこと。

2．試験検査成績書には，次の事項を記載すること。なお，規格値及び試験検査の結果が数値で得られる場合には，その数値を明示すること

（1）当該外部試験検査機関の氏名（法人にあっては，名称）及び連絡先等

（2）当該外部試験検査機関による試験検査の実施年月日

（3）当該製造業者等の氏名（法人にあっては，名称）及び連絡先等

（4）当該外部試験検査機関による試験検査の結果及び当該製造業者等による判定年月日

3．製造業者等は，当該製品について，1．の事項を記載した文書を作成するとともに，あらかじめ指定した者に，必要に応じて当該外部試験検査機関の試験検査担当者に対して，試験検査を行うに当たり必要な技術的事項や注意すべき事項等を説明させ，取決め（いわゆる「再委託」は原則として行ってはならないものと規定すること。）を締結すること。また，当該取決めに係る文書は，当該製造業者等及び当該外部試験検査機関の双方において保管すること。

4．製造業者等は，あらかじめ指定した者に，当該外部試験検査機関において上記3の文書の内容に基づき適正に試験検査が実施されていることを，必要に応じて実地に確認させ，その記録を作成の上保存させること。

5．製造業者等が当該外部試験検査機関の試験検査設備について実地の確認を行うこと，及び自らが迅速かつ適切に利用することができるよう，必要に応じて取決めを締結しておくこと。

> 6．製造業者等又は当該外部試験検査機関の一方において試験検査成績書の原本を，他方においてその写しを保存するものとし，直ちに利用することができるようにすること。
> 7．試験検査方法等の変更は，当該製造業者等がその変更について連絡を受け，かつ承認しない限り行われないようにすること。

移転先の施設および設備・機器の確認事項

（1）設備面

　　技術の移転元は，プロセス，または方法への影響がある可能性のある建物，ユーティリティ（暖房，換気および空調（HVAC），温度，相対湿度，水，電力，圧縮空気）のレイアウト，施工および完成図書に関する情報を移転先に提供する必要がある。移転元は，以下を含む関連するEHS（健康，安全および環境）の問題に関する情報を提供すべきである。

- 製造プロセスの固有のリスク（たとえば，反応性化学物質の危険性，曝露限界，爆発限界および爆発のリスク，引火性）
- 作業者，分析者の曝露による健康被害を最小限に抑え，および安全に作業を行うための要件（たとえば，高理活性医薬品の封じ込め，微生物汚染のリスク防止の専用化）
- 緊急時計画の考慮事項（たとえばガスや粉塵の放出，漏れ，火災，作業者への曝露の場合）
- 廃棄物の特定および再使用，リサイクルおよび／または処分のための規定

（2）装置

　　移転元は，保持している適格性およびバリデーション文書とともに，関連するドキュメントには，下記の事項を含む移転する製品，プロセスまたは方法の製造，充填，包装および／または管理に関わる機器，メーカーおよびモデルのリストを提供しなければならない。

- 完成図書・図面
- マニュアル
- メンテナンスログ
- 校正ログ

- 手順書(たとえば機器のセットアップ,操作,クリーニング,メンテナンス,キャリブレーションおよび保管に関するもの)

移転先は,すべての機器およびシステムの適格性ステータス(IQ, OQ, PQ)を含む自らのリストと移転元が提供する情報を比較して,リスクに基づくギャップ分析をする必要がある。具体的なギャップ分析では,移転元と移転先が所有する,移転される品質試験に使用される予定の機器の機能性,製造元,モデル,および適格性の状態に関して比較表を作成する。かつ,予測されるリスクを分析する。

ギャップ分析(一部リスク分析)に基づいて,移転先は移転された製造法,品質・分析試験法を実施可能にするために,既存の機器の仕様に適合しているか,または新しい機器を取得するもしくはプロセスの変更が必要であるかを判断する。

このギャップ分析では,GMPの要件を満足させ,意図された生産量とバッチサイズ(たとえば同じスケールアップまたはキャンペーン)も評価することが求められる。

Point

ギャップ分析の対象項目

- 生産機器の最小および最大容量
- 施設の材料・材質
- 重要な作業パラメータ
- 重要な機器部材(たとえばフィルタ,スクリーン,および温度/圧力センサ)
- 重要な品質特性
- 対象の医薬品の投与経路,投与量,用途の範囲
- 対象項目に追加で,移転先におけるすべての機器の施設および建物内の製造に関連する特定場所での,人員およびモノの流れ,交叉汚染の防止を含むフローは,移転される製造プロセスのプロセスマップまたはフローチャートの作成時に作成され,交叉汚染が防止されるように作成されること
- 移転先で採用予定の製造・輸送機器に関しては,同一設備機器で製造されている既存の製品に対する移転される製品の影響・リスクを評価すること。
- 移転先で,移転されるプロセスを実現するために既存設備を改造する必要性は,マスタープランに明確に記述・評価・承認する必要がある

移転プロジェクトに必要なドキュメントの整備

 技術移転要約報告書

　移転プロジェクト自体に必要な文書は広範囲にわたっている。一般的に必要とされる文書の例を表5-2にまとめた。

表5-2　技術移転に必要な文書（例）

主要業務	移転元からの提供文書	移転先で作成する文書
技術移転のプロジェクトの定義	プロジェクト計画と品質計画書（個別文書，合併文書），移転プロトコール，リスクアセスメント，ギャップ分析	技術移転プロトコール，移転完成図書
品質契約，施設・設備の評価	施設・設備のレイアウト，DQ，IQ，OQ等の確認計画とその報告書	施設設備の移転元と移転先の対比書，ギャップ分析，施設の適格性評価報告書の分析
EHS	製品特有の廃棄管理，災害・緊急時の対応策，原材料/原薬/添加剤に関するMSDS	廃液処理SOP/基準書
担当者の教育訓練と熟練度	教育訓練，認定（評価法，基準）手順，認定基準	教育訓練計画と認定結果
分析法の移転	プロセスコントロールを含む分析法のバリデーションと規格，分析機器の仕様・IQ，OQ，PQ，校正記録，カラム等の部材の情報	分析法の移転プロトコールと報告書，分析能力のギャップ分析，機器の適格性評価報告書の分析
出発原料評価	原材料/原薬/添加剤に関する規格と追加情報	原材料/原薬/添加剤の規格・仕様書
機器・設備の選択と移転	機器・設備の製造者・仕様，適格性評価の状況（DQ，IQ OQの実施状況）を記したリスト図面，操作マニュアル，Logブック，SOP（立ち上げ，操作，洗浄，保守，校正）	機器のギャップ分析，移転先の機器の対比検討，適格性・バリデーションのプロトコールと報告書
製造・包装工程の移転	参照バッチ，開発報告書（製造工程の設定根拠），回顧的重要分析データ，変更管理文書，重要管理項目，工程管理値，プロセスバリデーション報告書，DMF，保存安定性試験報告書，製造包装記録のリスト，逸脱とその原因調査報告書，苦情・回収の記録	移転先の工程開発の経過報告，移転先の参考として経験はすべて記録，工程開発のための試験製造記録，試験包装記録，移転先の工程フロー図，プロセスバリデーションのプロトコールと報告書
洗浄	対象物質の溶解性，分類（毒性）を含んだ洗浄バリデーション，現状の洗浄手順，洗浄バリデーション報告書，微生物残留，洗浄剤	医薬品に特化した洗浄手順，洗浄バリデーション報告書，プロトコール

技術移転が成功したとされていることの証明は，技術移転要約報告書にまとめられ，品質部門の承認を得ねばならない。その報告書には，移転の範囲，移転単位および被移転単位（好ましくは表形式で記述）で得られた重要なパラメータおよび移転の最終的な結論が要約されるべきである。可能性のあるギャップ・逸脱・リスクが一覧にまとめられ，必要に応じて適切なCAPA・リスク低減策が行われ，変更申請までには完了していなければならない。また，技術移転前に実施したリスク分析・評価，その結果に基づいて行われたリスク低減策の実行性，また，残存しているリスク分析・評価，さらに技術移転に伴い発生した，新たに検出されたリスクの分析・評価が求められる。

　実施される適格性および／またはバリデーションの範囲，移転に伴うバリデーションの大きさ（実施バッチ数）は，リスク分析・評価管理の結果に基づいて決定されるべきである。

具体的な技術移転の手順・文書作成に向けて

　開発部門から生産部門への技術移転に必要な試験・文書を以下に例として示す。実際にはこれに限らず，移転に必要な文書は最大限準備することが求められる。

- 工程開発の概要＜開発経緯＞
- 仮操作パラメータ
- 重要工程パラメータ（CPP）の特定および根拠・妥当性のためのリスク分析報告書とリスク低減のためのプロトコール
- 製品規格と分析法
- 開発（登録申請）バッチ記録
- 製造機器の仕様と選定根拠
- 原薬の合成・製剤予備検討報告
- 原薬の合成報告，計画仕様，原料調達および仕様
- 賦形剤の特性報告，調達および仕様
- 梱包材料の調達および仕様
- 安定性予備試験および報告
- すべての分析試験方法のバリデーション
- 安定性を証明する方法を含む分析方法
- 加速試験および長期安定性試験データ
- 薬学的および分析的な特異性の報告
- 臨床試験バッチの文書作成
- 特記事項（安全性，毒性，光感受性，揮発性等）

技術移転のマスターバリデーションプラン（プロトコール）

　移転に伴うリスク分析・評価とリスク低減のために行うCAPAは，技術移転を確認するマスターバリデーションプラン（プロトコール）に含まれる。移転後の品質・工程の同等性・頑健性の検証のためのマスタープロトコールには，手順書も含まれる。

（1）移転に関する手順の例

①市販製造・包装への製品の移転における研究開発部門の責任
- 研究開発部門は，開発報告書を作成，品質部門の承認を得た後，生産部門もしくはCMOに提出する

②市販製造・包装への製品の移転における工程開発，テクニカルサービス部門の責任
- 生産技術部門は製造／包装工程，一連の装置，開発報告（該当する場合）を含む技術移転パッケージおよび提出文書を照査する
- オリジナル開発，提出製品のものと同一の原材料源を適用できる場合でも，原薬・添加剤・包装材料特性およびサプライヤを評価する
- 特定された原薬・添加剤・包装材料がオリジナル技術移転，提出バッチと異なる場合，プロセスクオリフィケーションバッチに進む前に，原薬・添加剤・包装材料の十分な特性評価を実施すべきである
- 候補製剤，一連のプロセス装置およびバッチサイズに関する部門間の共通意識を確保するためのプロジェクト管理者への提案を計画シートとして発行する
- 提示およびバリデーションバッチに必要とされる有効かつ添加剤の正確な数量を特定する

（2）マスターバリデーションプランの記載内容

　マスターバリデーションプラン（プロトコール）には，工程適格性評価試験に先立ち，装置の適格性／同等性を証明すべきである。適用できる場合はいつでも工程適格性評価試験およびその後のバッチに類似した一連の装置を使用するか，SUPACの同等性を証明しておかねばならず，製造／包装工程について工程適格性評価試験を実施し，工程が管理下にあり，その結果，規定された限界を満たす製品を製造／包装できることを証明することが求められる。

　工程適格性評価（プロセスクオリフィケーション）バッチの製造／包装に先立ち，工程適格性評価実施計画書（PQP）を作成する。実施計画書は工程開発，テクニカルサービス，品質保証および品質管理部門によってレビューされ承認される。

　以下のような記載内容が必要である。

- PQPでは，試験を実行する目的，適用範囲および責任について詳述する
- バッチの詳細，製造／包装装置，製造工程フロー図および重要工程パラメータが含まれる。混合，製錠，カプセル充填／粉末充填およびコーティング中に従うべきサンプリングは，試験およびあらかじめ定められた合格基準（一般的な公定書収載の試験に基づく）とともに記載される
- 工程内サンプルが最終製品規格に適合することを確認するために，適切な予測工程条件を用いてプロセスクオリフィケーションバッチ実行中に製造／包装工程パラメータを確立し，チャレンジ試験を実施する
- 該当する場合に評価する工程パラメータは以下のものを含むが，これらに限定されない
  - 造粒パラメータ（造粒溶液の付加速度／量，インペラー・チョッパー速度，混合時間，乾燥温度，空気量，かさ密度／タップ密度，粒度分析，混合均一性など）
  - 打錠圧縮パラメータ（プレス速度，錠剤硬度，開始時・中間・終了時のサンプル，崩壊時間，溶出プロファイル，含量均一性，重量均一性など）
  - カプセル充填パラメータ（機械速度，開始時・中間・終了時のサンプル，崩壊時間，溶出プロファイル，含量均一性，重量均一性など）
  - コーティングパラメータ（工程温度，噴霧速度・量，溶出プロファイルなど）

バッチ要約報告書

　バッチの工程パラメータ変更に関する推奨事項とともに，観察結果および計画された製造工程からのあらゆる逸脱を文書化するために，各バッチの実行後にバッチ要約報告書を作成する。

　バッチ要約報告書は工程開発／テクニカルサービス部門および品質保証部門によってレビュー，承認される。

　生物学的同等性提出バッチもしくは登録申請バッチは，工程パラメータに従って製造されるが，このパラメータは工程開発／テクニカルサービスグループおよび品質保証部門による承認を受けたプロトコールに即して実施される。

　技術移転プロジェクトの適用範囲および性質に基づき，バッチは設計された市販向け包装形態で包装され，該当する規制ガイダンス文書に従った安定性条件で，保存安定性試験が開始される。このとき最も適切かつ有効な包装形態を検証するため，複数の包装候補が準備される。

　プロセスクオリフィケーションバッチ製造完了後，バリデーションバッチの製造実施に先立ち，工程内製品および最終製品の試験結果を要約するプロセスクオリフィケーションバッチ製造要約報告書を作成しなければならない。

　要約では，工程が決められた管理範囲内にあり，その結果，規格範囲を満たす均一な

製品を製造できることを確認したことを述べる。プロセスクオリフィケーションバッチ製造要約は工程開発／技術部門の責任者によって照査，承認される。最終バッチ要約報告書は規制当局への提出資料の一部となる。

　別途，バリデーション製造に先立ち，工程試験結果のほか，市販バッチ製造中に発生する可能性があるリスクを低減するために，登録バッチ製造の評価プロトコールを準備する。

　GMPの要件を遵守してプロセスバリデーション／安定性バッチの製造（該当する場合）を行い，各製品力価のバッチを製造しなければならず，生産技術部門はプロセスバリデーション戦略を立ててプロセスバリデーションバッチの製造をモニター，監視する。

　プロセスバリデーションで製造した医薬品の市場への出荷を行うならば，出荷に先立ち，バリデーション報告書が品質保証部門により承認されなければならない。

海外CMOへの技術移転

変更の背景

　国内の自社工場での生産から海外のCMOでの生産に移転する。2章で述べた変更の分類でみると，「**外的要因変更**：耐用年数に達した生産設備の更新」もしくは「**私的要因変更**：生産原価の高騰で採算性の悪化の改善という変更」となる（P57参照）。

　分析機器・製造機器・設備の耐用年数を超過した，スペックが満たなくなったため新規の分析機器・製造機器・設備への更新が必要になったことは，高品質の医薬品の維持するために，ハード面から改善が必要になり，かつ「**私的要因変更**：生産量が低下し，後発医薬品・薬価の引き下げ等の経済的な理由で，医薬品の安定供給，企業の活動維持のために，医薬品の製造施設を生産性の高い海外のCMOに委託する」という変更に分類される。この変更によって得られるメリットとしては以下のようなものが考えられる。

- 設備を更新することで，高品質の医薬品の製造が可能になる（たとえば，機器の老朽化により異物・交叉汚染の防止，不良品の発生抑制）
- CMOに委託することによるコスト低減
- 製造・品質管理を委託することで，自社の要員を他の業務に従事させることができ，リソース再分配が可能になる

変更によるリスク

　下記項目が，製造場所変更でリスクとして考えられる。

（1）移転先のGMP充足度

　CMOとして，日本の薬機法に準じて医薬品の製造を継続的，安定的に供給できる能

力を有しているか。特に査察に耐えうる施設・設備（ハード）とGMPコンプライアンスが充足していることが必要。

海外CMOにおいては，日本の法令，GMP，コンプライアンスとのギャップがある可能性が考えられる。日本の求める基準が，海外のCMOには認識されない，理解されないリスクがある。日本の文書化されたガイドラインがグローバル基準とは異なる点があり，このギャップが理解されないことがあるため，以下のような点に注意が必要である。

- 変更管理の技術的同等性評価とPMDAへの申請業務が，目標期限内に実施されること
- 継続的改善，品質が維持できること

（2）移転先の製造設備の規模等の適格性

生産規模が期待値，想定規模を満たすことができるのが前提である。移転先の候補は，評価によって意図した能力（生産規模）以上のものを有していることを確認する。期待値は割り引いて算出するが，それでも十分な余裕がないと，増産やアクシデントへの対応ができないリスクとなる。

（3）移転先の原材料調達能力・品質管理能力

①原材料調達

移転先となるCMOが自ら原材料を調達する場合，適切に主・副原料を確保できるかどうかの確認が必要となる。原材料調達のリスクは，CMO選定時に評価・調査して，あらかじめ代替案を準備してリスクを低減する。このリスク回避のために，原料の調達先も移転することがリスク低減策として有用である。

②原材料供給者を適切に管理できるか

原材料の供給業者を適切に管理することが求められる。移転先の原材料供給元が，適切な品質・生産管理を行っていることの検証を定期的に行う必要がある。その際に，原材料の持つリスク（最終製品への影響度）に基づいて管理基準を決めて，管理することが必要である。

③調達した原材料が規格に適合し，均一であるか

移転元より提示された原材料の規格に基づいて，調達する原材料を管理する。そのために品質管理能力（施設・機器・人員）の確保が必要であり，充足した環境下で行わねばならない。この不充足は，品質管理，適切な原材料が調達できないリスクを生じる。

調達した原材料は，規格に適合することは大前提であるが，その品質管理値（規格値）に対して変動が少ないことが望ましい。常に原材料の受入試験結果のトレンド分析を行

い，試験結果が一定傾向にあることを検証して，製造される医薬品の品質の安定性に及ぼすリスクを低減する。

また，原材料の品質が安定しない場合は，供給者管理の方針で，改善指導，変更等でリスクを減じる必要がある。

(4) 技術移転に伴う同等性検証

①移転技術の検証

製造工場自体の変更となるため，まず現工場での製造が安定的に製造され，かつそれらの技術が文書化されていることの検証が行われなければならない。

年次照査でリスク分析を行い，現行の製造法，施設設備に存在するリスクが明確化され，バリデーション・ベリフィケーションを行うことで，リスクが最小化されていなければならない。

文書化の重要性

同一社内での技術移転の場合には，往々にして文書化されていない伝承的な技術がある場合も見受けられるが，より頑健な製造工程管理のためにも，文書化して残すことが推奨される。

②検証項目の妥当性

少なくとも，既存の製造場所で見出されたリスクはすべて，検証項目に加えねばならない。移転のプロジェクトに際して作成されたマスターバリデーションプランに，検証項目が定められていることが基本である。

③技術の授受能力の検証

CMOの既存設備・機器，もしくは新規設備・機器にて製造を開始するが，このとき，DQ，IQ，OQを行い適格であることを検証する。検証後PQを行い，移転される医薬品の製造に適しているかを確認する。

PQに先立ち，リスク分析が行われ，検証された施設・機器が持つ移転製品の製造時のリスクを顕在・潜在の両面から洗い出し，分析・評価することが求められる。

④製造同等性・品質の同一性の検証

移転のプロジェクトに際して作成されたマスターバリデーションプランに，品質の同等性の合格基準が定められる。

移転時は，さらに工程内検査結果の傾向分析を行い，傾向の類似性があらねばならない。しかし移転時にスケールアップすることで，工程内試験の結果は移転先と移転元では異なることがある。たとえば反応時の温度は，溶媒容量と反応槽の大きさ（発熱量は同じでも，溶媒量・容器の空隙で温度上昇は異なる傾向を示す）で移転元の結果とは異なることもある。

この同一性は，PQ，プロセスバリデーションを継続してトレンド・傾向分析して，長期にわたる検証が必要である。

(5) 移転先の事業の継続性

製品を継続的に製造できるか，移転先の経営面での持続・財務健全性が保証できるかの確認も重要である。

(6) 移転先の品質・操業の安定性

品質の安定性について，以下のような項目を確認する。

- 製造される製品の品質安定性が保証できるか
- 製造される製品の不純物プロファイルの類似性・同等性が担保できるか
- 製造される製品の収率の安定性が保証できるか
- 規定外項目（色，粒度，臭気等）にも，類似性・同等性を担保できるか
- 製造される製品の生産量が確保・保証できるか

(7) 物流の妥当性・安全性

CMOからの輸送経路上で，不安全な行程が存在する可能性はないか，輸送での安全性確保が十分にできるかという点は事前に的確に把握すべきである。海外においては日本よりも盗難，損傷の危険がある可能性も考えられるので，確認を怠ることはリスクとなる。

5 同じ敷地内の新工場への技術移転

変更の背景

　製薬企業においては，同一敷地内の新工場へ技術移転する機会は多いと思われる。変更の分類では，「私的要因変更」に該当すると思われる（変更の分類はP57参照）。

　たとえば医薬品の開発過程で，小規模製造（パイロット規模）から開発段階が進み，より多くのサンプルが要求される，また開発の進捗で研究開発の製造規模から商業製造を想定した規模の製造試験検討が求められるようになる。この場合，多くの製薬企業では，担当部署が変わり，製造設備も変わる。一般には，研究開発部門（R&D）から，工業化研究部門への変更を伴うことが多い。

　これ以外に同一敷地内での技術移転が行われる例として，登録承認時，小規模の生産量に対応する設備で生産を開始したが，供給量が増加したため，より生産量が大きい設備を用いて増産するための変更，もしくは増強するため新規の生産設備を建設して，生産を変更することがあげられる。この場合は同じ製造部門ではあるが，運転する人員は設備の変更に伴い変更される場合が多い。

　メリットとしては，増産，また本格的な商業生産規模で市場に安定的に供給できるようになることである。

変更によるリスク

（1）同等性の検証
①移転技術の検証
　前節「海外CMOへの移転」でも触れたが，今回のケースでは同一会社内での移転ではあるが製造工場が異なるため，現工場での製造が安定的に製造され，かつそれらの技術が文書化されている必要がある。

年次照査でのリスク分析，現行の製造法，施設設備におけるリスク特定がなされ，リスクが最小化されていなければならない。

②検証項目の妥当性

少なくとも，既存の製造場所で見出されたリスクは，すべて検証項目に加えねばならない。CMOへの移転と同様である。

移転のプロジェクトに際して作成されたマスターバリデーションプランに，検証項目は定められていることが基本である。製造の同等性確認なども必須。

(2) 規模の拡大に伴う新規機器の妥当性・信頼性

①規模拡大の妥当性

スケールアップの持つリスクの大きさと，考えられる低減策の総和（リスクの大きさと経済効果）から，妥当なスケールアップの大きさ，移転先の製造能力を算出することになる。

この総和から外れた大きさのスケールアップの場合，残存するリスクは，ハード・ソフトを追加することを条件に，再度のリスク分析・評価で，リスクが低減されていることを検証する必要がある。

②機器の適格性

ユーザー要求仕様書（URS）作成時に，スケールアップに伴うリスク分析を行ったうえで機器の仕様を決め，候補を選定する。機器の適格性には，既存の設備の適格性項目に加え，スケールアップによる操作上の負荷の増加，環境負荷の増大も適格性検証を行う。

(3) 品質・操業の一定性

①品質の安定

プロセスクオリフィケーション，プロセスバリデーションを実施して得られた医薬品の品質結果は，移転元で収集されている品質結果と同等かを検証する。

移転先の結果の点数は少ないが，t検定などで有為な差がないこと，プロセスクオリフィケーション，プロセスバリデーションの試験結果のばらつきと移転元のばらつきを検定して有意な差がないことを検証する。マスターバリデーションプランに，その許容差異・偏差を定義しておく。

品質の安定は，少数の生産では判明しづらいので，少なくとも1年間に生産された医薬品の品質同等性は年次照査で分析する。

②不純物プロファイルの類似性・同等性

品質規格に定義されている不純物のプロファイルを満たしていることは言うまでもないが，新規の不純物が見出されたときは評価すること。この場合，医薬品の特性で，新規不純物が毒性等を持つリスクがある場合は，ICH Q3の構造解析の基準とは異なる側面からリスク評価すること。

不純物のプロファイルが規格を満たしていることと同様に，その他の微細な不純物の検出パターンの類似性を評価すること。

③収率の一定性

プロセスクオリフィケーション，プロセスバリデーションを実施して得られた医薬品の収量は，移転元で収集されている収量とのばらつきを検定して有意な差がないことを検証する。マスターバリデーションプランに，その許容差異・偏差を定義しておく。

収量の安定・変動は，少数の生産では判明しないので，少なくとも1年間に生産された医薬品の収量の同等性は年次照査で分析する。

④規定外項目（色，粒度，臭気等）

プロセスクオリフィケーション，プロセスバリデーションを実施して得られた医薬品の品質検査では，規格外の項目に関して変動がないかを検討する。

その背景には，規格項目は医薬品の特質を定義するために，限られた項目に限定した背景がある。このため，規格にされなかった項目が医薬品の特性を定める可能性がある。特に色・臭気の規格は幅が広く，医薬品の特定には曖昧な規格であるが，移転時には変化度合いが検定できる可能性がある。

（4）原料調達・保管等

①拡大した量の原料の確保

スケールアップに伴い原材料の必要量も増加するため，その相当量を確保することが必要である。その確保，品質検討の終了時期は，プロセスクオリフィケーションの開始前が予定される。

②原料・製品の保管倉庫の確保

増加する項目（原材料，中間製品，製品）の保管場所をあらかじめ確保，もしくは増設する。倉庫は適格性検証の対象になることを忘れてはならない。もしくは認証できる外部倉庫と契約して，増加する原材料などの保管に対応する。

6

品質試験を外部に委託する

変更の背景

　現在の法令・ガイドラインでは，自社で品質試験室を保有することを必ずしも要求しておらず，外部に委託することも可能であり，実際品質試験室をもたない製薬企業も存在する。品質試験の受託機関も多く，グローバルに複数の試験機関を有する大手から，地域に根付いた単独・独立受託機関までさまざまである。一概に受託機関を評価できないが，品質試験を委託する場合に考えられるリスクについて，以下に示す。

　なお，自社に品質試験設備・機器がない，もしくは現状の規格要件を満たしていないという前提に基づいて本節は執筆している。

変更によるリスク

（1）試験設備の規模等の妥当性

①品質試験室の規模が妥当か

　試験室の規模は，分析を行う試験室に限定されるわけではない。必要な試験室は，試験サンプルの保管，試薬・標準品の保管，資料・文書の保管，試験器具の保管・洗浄など総合的な設備である。これらの個々の設備が備わっていることと，すべての設備に余裕があることが重要である。

②品質試験室の拡大

　前述の設備に余裕がない場合，今後長年にわたり委託することになれば，負荷が増えるため増設が必要となる。

　品質試験のガイドラインは常に改訂され，新たな分析機器を要求されることもありうるため，必然的に追加の機器導入のための余地が必要となる。

（2）品質管理能力が十分であるか

　試験受託機関は分析サービスを商品としている。このサービスの品質を依頼主の期待レベルに保ち，法令・ガイドラインを満たすことが最大の使命である。

　試験サンプルの保管，試薬・標準品の保管，資料・文書の保管，試験器具の保管・洗浄，それぞれの区域・部屋が整理整頓されていること，内容物が明示されていてその通りであること，各担当者が教育訓練を受けており，その記録が残されていることなど，管理すべき項目は多岐にわたるが，それらの管理状況に不備が見出されれば，リスクが高いと判断され，委託には不向きと判断される。

（3）試験用試薬・機材の調達

①適切な試薬・機材を確保できるか

　まずは，試薬・機材の保管台帳の最新版が備わっているかが，第一の確認事項である。試薬・機材には有効期限が定めてあり，適切な保管期間内のものを使用することで，試験結果を保証する。試薬・機材が台帳で在庫，有効期限が管理されていることが，結果の信頼性を担保する方策であり，これがなければリスクとなる。

②試薬・機材供給者の適切な管理

　信頼できる供給者を起用しているかが重要であり，承認された供給者リストが作成され，かつ評価されていることがリスク管理の手段である。

　供給者管理が改正GMP省令にて求められているように，原材料供給元が適切な品質・生産管理を行っていることを検証する。その際，原材料の持つリスク（最終製品への影響度）に基づいて管理基準を決め，管理することが必要である。

③試薬・機材の品質

　使用している試薬・機材の品質（等級，仕様）が一定でない場合は，試験の品質・結果の均一性が担保されないリスクがある。

（4）分析法技術移転と同等性の検証

①移転された分析技術の検証

　検証項目は，ICH Q2に準ずる。移転された分析法ならびに移転元の分析法バリデーション報告書に基づき，リスク分析・評価を行い，ICH Q2に記述された検証項目に追加すべき検証項目がないかを検討する。

②分析技術の授受能力の検証

　技術移転を受ける移転先は，十分に分析・品質管理に精通している必要がある。移転の能力の検証には，以下のような項目を確認する。

- 移転を受けた分析法のバリデーション・ベリフィケーションを行うことを定めた基準書を持っていること
- 分析法のバリデーション・ベリフィケーションを行うためのプロトコール作成能力があること。その中には，適切な合格基準が明記されていること
- 分析法のバリデーション・ベリフィケーションで発生したOOS，逸脱を適切に管理，CAPA実行できること
- 分析法のバリデーション・ベリフィケーション終了後は，科学的な報告書を準備できること

これらが適切かつ迅速に行うことができない受託機関は，リスクが高いと判断される。

③同等性の検証

分析法のバリデーション・ベリフィケーションの結果が，プロトコールに決められた合格基準に適合しているかを照査して同等性を検証するが，報告書は得られた分析値の合算したデータであるため，できれば生データを照査して，結果のばらつきを検証する。

④品質の同一性

品質試験の報告書，分析法のバリデーション・ベリフィケーション報告書の記述内容を判定して，移転先が移転元と同等の品質を確保しているかを判定する。さらに，発生したOOS・逸脱の調査・処理，CAPAの計画書に記載された内容の妥当性も評価する。

(5) 継続性

CMOへの製造委託や原材料供給業者同様，企業として永続するための経済的な状況等もリスクになりうる。事前に確認・評価を行う必要がある。

(6) 基幹職員の固定化

GMP/QMSの安定的な運営のためには，基幹となる職員が安定的にその職責を務めることが必要である。その基幹職員（製造監督者／品質保証部門／品質管理部門責任者）が頻繁に変更されていないかの確認も必要である。交代が多い製造所は，品質面，コンプライアンス上のリスクが潜在していると推測される。

また，教育訓練・認定が必要な職員（分析者，製造担当者）の定着率が芳しくない製造所も，同様のリスクが潜在する。

(7) 持続的な改善の可否

GMPにはゴールがなく，常に改善が求められているのも特徴であるが，その姿勢が欠如している受託機関は，潜在的にGMPの水準が低下するリスクがある。

継続的改善がない場合，設備・機器の劣化が進んだり，使用に支障を来すことや，試験結果の信頼性欠如のリスクを潜在的に持っている。

(8) 内部監査（自己点検）の適格性

GMPに基づいて，内部監査（自己点検）が行われるが，表面的な内部監査（自己点検）では，GMP/QMSに潜んでいるリスクが明らかにならず，リスクが潜在化してしまうリスクがある。内部監査（自己点検）は継続的改善の起点となるが，適切に行われず表面的なものであれば改善の起点が失われることになる。これは，GMP停滞のリスクである。

(9) 品質試験の一定性

①電源の安定性

最新分析機器は，コンピュータ化されているものが多い。瞬間的な電圧降下が，コンピュータに影響を及ぼすリスクがある。また，雷雨の影響も大きなリスクである，このため，瞬間的な電圧降下，上昇の対策を行うことで，品質管理のリスクを低減する。

②試験法の完成度，完熟度

試験法は常に見直し，改善することが重要である。この見直し，改善を怠ることは，試験法の完成度・完熟度の達成に対するリスクとなる。

(11) 包装の完全性

委託されるサンプルは，冷蔵・冷凍条件が要求されることもある。輸送時の包装が不完全，不適切であったため，サンプルの品質に影響を与えるリスクがある。この条件に適する包装が満たされるように，包装資材を委託者に提供することで，リスクを低減する。

7 技術移転の ケーススタディ

頻繁に起こる事象を例にして，技術移転時のリスク分析の例を示す．各ケースで，「移転元と移転先での差異」，「移転先での顕在・潜在リスク」，「リスク低減策とその合格基準」などを考察しているので，参考にされたい．

ケース1
開発部門から技術部門への技術移転と打錠機の変更

開発部門では，開発試験用の少量生産打錠機を用いて打錠試験を行っていた．開発のステージが進んで，臨床試験用のサンプルと登録用の錠剤の製造を行うことになった．このため，打錠機を開発用から商業生産用の機種に変更して製造を行う．並行して登録用にプロセスバリデーションを行うために開発部門から技術部門に技術移転する．

（1）移転元と移転先の差異

1) 杵立数
2) 本圧最大圧力
3) 打錠速度（最大能力）
4) 発熱量・冷却能力
5) 粉末充填方法
6) 打錠連続時間
7) 錠剤の排出方法
8) 顆粒の供給方法

（2）移転先での顕在リスク

1) 錠の硬度の不均一
2) 錠の臼からの排出不良の発生（chipping）
3) 発熱・蓄熱で臼が膨張し，錠の大きさが変化

4）長時間稼働での臼杵の疲労

5）顆粒の粒径の偏析

6）打錠中の不均一

（3）移転先での潜在リスク

1）高速打錠での臼杵の摩耗，金属疲労

2）潤滑油の加熱，過加熱

3）冷却能の差で臼杵の温度が上昇

4）初めての機種であるため，作業者の落ち度が見ぬけない

5）供給する顆粒の消費速度の見誤り

（4）低減が必要なリスク（品質に影響が予見されるリスク）

1）臼杵の耐用時間。打数が短くなり交換頻度が増加，もしくは破損の発生

2）冷却能の低下で臼が膨潤し，錠重量が変動

3）高速打錠で，排出のための滑沢剤必要量を見誤り，排出不良・欠けの発生増加

4）顆粒の大きさが商用生産機の顆粒供給システムに適さず，秤量不測が発生

5）実験機での加圧システムでの設計では商業機との差があり，硬度に差異がみられる

（5）リスク低減策（バリデーション項目，計画）

1）移転先の経験値・経験則に基づくスケールアップ（高速打錠）のリスク分析を実施。
目標パラメータを設定し，プロセスバリデーションプロトコールを作成

2）スケールアップ（高速打錠）に適した顆粒のモニター試験について，プロセスバリ
デーションに先立ち，プロセスクオリフィケーションを行う（粒度分布，嵩密度，水
分，硬度をパラメータにする）

3）移転先の仕様で臼杵を作成（高速打錠仕様）

4）スケールアップ（高速打錠）発熱量を計算してシミュレーションを行い，冷却能を決
める

5）バリデーションのプロトコール作成

6）工程内試験（IPC）のパラメータを厚くして行う（例：個別に臼杵で打錠した錠のサ
イズ，硬度を測定して均一性，機械の特性を計測，プロセスバリデーションの途中で
IPCを行って，錠剤を測定）

7）顆粒の供給量，偏析も観察

8）異常な錠剤を検出できるようIPCを行う

9）機器の操作は，委託先の熟練作業員に任せる

(6) リスク低減の合格基準
1) プロセスバリデーションの合格基準に適合する
2)「生産された錠剤（**錠検査して）の偏差幅が，○○以下」などの基準を設ける

(7) リスク低減のモニター手法・期間
1) 実施されるプロセスバリデーションバッチの工程内試験・抜き取り試験結果を検証（プロセスバリデーション終了まで）
2) 年次で代表バッチサンプルを分析し，同等性評価を行う（継続的）
3) 出荷試験結果の年次照査を行い，トレンド分析で有意な差がないことを確認（継続的）
4) 打錠機の校正，保守記録，臼杵の交換時期と生産数を照査して，期待値と差がないことを確認（1年以上）

ケース2
海外CMOへの委託に伴う製造技術移転

長期収載品の薬価切り下げで採算性の改善が必須となった。コスト低減のため中国のCMOに委託を検討することになった。委託先の機器のリストを入手してギャップ分析を行ったところ，打錠に用いる顆粒を調合・製造する流動層乾燥機が中国製であった。この流動層乾燥機の運転経験はなく，なじみのない機種であることが判明した。このギャップ分析を行うときの必要事項を以下に検討する。

(1) 委託元と委託先の差異
1) 仕様（風速，温度）
2) デッドスポット，蓄積箇所
3) 洗浄方法（CIP，手洗い）
4) 内部の大きさ，直径と高さ
5) 凝固剤の添加方法
6) バグフィルターとair hammerの形式
7) 作業員の認定，資質
8) 校正・保守点検方法
9) 排気系
10) 熱源

(2) 委託先での顕在リスク
1) 洗浄残による汚染

2）製品粒度の不均一

3）顆粒の水分量不均一

4）加温の不均一による過乾燥，変色

5）結合剤の不均一で塊が発生

6）バグフィルターの付着量の増加，収率低下

7）目的粒度への制御不能

（3）委託先での潜在リスク

1）中国製固有の安全装置の不備（過熱防止，水分計），シール不良

2）作業員の熟練度不足・離職

3）GMPの教育不足

4）環境問題

5）規制当局の突然の基準変更

（4）低減が必要なリスク（品質に影響が予見されるリスク）

1）委託先のGMP製造の能力不足

2）機械の仕様とプロセスクオリフィケーションでの実測値の差

3）負荷時の均一性の検証不足

4）洗浄不足での残留

5）環境汚染

（5）リスク低減策（バリデーション項目，計画）

1）機器のDQを再度行い，生産に適しているかを検証する

2）プロセスバリデーションに先立ち，プロセスクオリフィケーションを行い，適正生産能，機器の欠陥（温度均一性，風向の循環性，バグフィルターの能力等）を検証する。これは，すべてを実測する代わりに，生産実績からプロセスクオリフィケーションを行うことも可能

3）プロセスバリデーションの委託先の経験値・経験則に基づくリスク分析を実施，目標パラメータを設定し，プロセスバリデーションプロトコールを作成

4）顆粒のモニター試験について，プロセスバリデーションに先立ち，プロセスクオリフィケーションを行う（粒度，かさ密度，水分，硬度，収量をパラメータにする）

5）発熱量を計算して，シミュレーションのうえ冷却能を決める

6）バリデーションプロトコール作成

7）IPCのパラメータを厚くして行う（例：水分，含量を測定して均一性，機械の特性（温度分布，風向，バグフィルターの付着）を計測，継時的にサンプリング・IPCを行って顆粒を測定）

8) 顆粒の偏析を観察
9) 洗浄バリデーション，環境汚染（室内，排気・給気ダクト）モニターを行い，無残留（許容以下）を検証
10) 機器の操作は，委託先の熟練作業員に任せる

(6) リスク低減の合格基準

1) プロセスバリデーションの合格基準に適合する
2) 製造開始前に，内部，バグフィルターの残留の確認を行う（基本無残留）
3) 洗浄バリデーションを行い，許容残留以下を確認
4) 「生産された顆粒（**%検査して）の偏差幅が，＃%以下」などの合格基準設定
5) プロセスバリデーションで製造された顆粒を用いて，打錠工程のプロセスバリデーションに合格すること
6) 排気ダクトの無残留を確認

(7) リスク低減のモニター手法，期間

1) 実施されるプロセスバリデーションバッチのIPC結果を検証（プロセスバリデーション終了まで）
2) 年次で打錠を分析（硬度，溶出性，崩壊性等）して，同等性評価を行う（継続的）
3) 出荷試験結果の年次照査を行い，トレンド分析で有意な差がないことを確認（継続的）
4) 乾燥機の校正，保守記録，バグフィルターの交換時期と生産数を照査して，期待値と差がないことを確認（1年以上）
5) 洗浄記録を確認，品質検査の不純物プロファイルの変動を照査

ケース3
包装工程を海外に委託

　製造量が増加してきた。このため現在日本で製造して，最終包装形態でアメリカに輸出していたものを，錠剤のバルクを輸出して，アメリカの包装CMOにブリスター包装工程を委託する計画を立てている。委託先のブリスター包装に用いられているブリスター包装機は，日本での機種とは異なり，全自動包装・検査機構を有している。
　考えられるリスクと低減策等を以下にまとめる。

(1) 委託元と委託先の差異

1) 検査方式
2) 検査機の原理

3）検査機の精度

4）生産速度（通過速度）

5）判定者（人からコンピュータによる機械的判定）

（2）委託先での顕在リスク

1）検査方法の原理の差で検出能が低下

2）検査機の精度差

3）商業生産において，製品が通過する速度による誤差の発生

（3）委託先での潜在リスク

1）検査プログラムの欠陥，バグによる測定不良

2）PCの動作異常

3）作業者・悪意の第三者の作為的誤差誘因，排出した不良品のライン戻し

（4）低減が必要なリスク（品質に影響が予見されるリスク）

1）包装資材，製品が検査機・プログラムの能力に合わない

2）ブリスターの成型時の熱変性が検査能力に影響を及ぼす

3）検査機の精度（欠陥，異物の検出能力）が期待値に及ばない

（5）リスク低減策（バリデーション項目，計画）

1）委託先の経験値・経験則に基づく包装工程のリスク分析を実施，目標パラメータを設定し，プロセスバリデーションプロトコールを作成

2）包装工程に適した錠剤・包装材であるかのモニター試験を，プロセスバリデーションに先立ちプロセスクオリフィケーションを行う（欠陥品，異物混入，照度，速度等をパラメータにする）

3）委託先の仕様で1次包装を準備して，上記2）を検討（機器推奨仕様）

4）包装工程での発熱量を計算してシミュレーションを行い冷却能を決め，ブリスターの歪みによる検査エラーを検証

5）バリデーションのプロトコール作成

6）IPCのパラメータを厚くして行う（プロセスバリデーションの途中でIPCを行って，包装状態を測定，排出品を再検査）

7）異常な包装を検出できるよう，ダミーによるIPCを行う

8）過負荷，低生産での性能試験をプロセスバリデーションの追加項目として検証する

9）機器の操作は委託先の熟練作業員に任せる

(6) リスク低減の合格基準

1) プロセスバリデーションの合格基準に適合する
2) チャレンジ試験でダミーの不良品・異物を100％排除できるか検証
3) 過負荷，低生産での性能試験に合格（100％排除）

(7) リスク低減のモニター手法，期間

1) 実施されるプロセスバリデーションバッチのIPC結果を検証（プロセスバリデーション終了まで）
2) 年次で代表バッチ記録を分析し，性能評価を行う（継続的）
3) 出荷試験結果の年次照査を行い，トレンド分析で有意な差がないことを確認（継続的）
4) 検査機の校正，保守記録を確認（1年以上）
5) 不良品排除率と生産数を照査し，期待値と差がないことを確認（1年以上）
6) クレームがないこと（継続的）

ケース4
分析法の移転①

　製造委託を行うことが内定した。測定機器のギャップ分析を行っている。委託先のHPLCの機種，データプロセッサーが異なる条件で分析法の移転を行うときに，考慮すべき事項を以下に述べる。

(1) 委託元と委託先の差異

1) 機種が異なる（経験のない，特性を知らない機器）
2) データ処理方法
3) インジェクションの形式（注入量）
4) 注入針の洗浄方法
5) グラジエントの方式・応答速度

(2) 委託先での顕在リスク

1) 処理後のデータ精度に差が生じる
2) 注入の微量の差でデータ精度に差が生じる
3) 注入針の洗浄方法によってベースラインにゴーストピークが発生
4) グラジエントの方式・応答速度で，分離度，RRTの同等性が証明できない

（3）委託先での潜在リスク

1）馴染みのない機種のため，操作性の差異に不安

2）故障等の不備の発生傾向（自社機種での傾向と差異がある）

3）保守点検の頻度が異なる（予防的保守の必要性）

（4）低減が必要なリスク（品質に影響が予見されるリスク）

1）注入量の差異により，分析値に有意な差が生じる

2）グラジエントの機構の差異によってRRT，ピーク分離に差異が生じる

3）機種による連続運転の耐久性の差異に不安が生じる

4）分析データの処理で，下2～3桁の数値に差が生じる

5）HPLCの分析結果に同等性が得られない

6）手合わせ試験で，委託先のHPLCを使用して，誤操作をする

（5）リスク低減策（バリデーション項目，計画）

1）分析法バリデーションを行う

2）データプロセッサーのCSV/DQ・同等性評価（データ改正値の近似性）を行う

3）HPLCカラムは近似するロットのカラムを供給

4）同一サンプルを用いて同等性を確認する

5）委託先の保守・校正記録を照査して機器の頑健性を確認する

（6）リスク低減の合格基準

1）分析法バリデーションが適合する

2）同一サンプルを用いての同等性検証を行い，その結果・生データを確認。有為な差がないことを確認する

3）F(t)検定で，95(98)％信頼性が担保されること

（7）リスク低減のモニター手法，期間

1）分析法移転後，実施されるバリデーションバッチの分析結果を両社で分析し，差がないことを検証（バリデーション終了まで）

2）年次で代表バッチサンプルを分析し，同等性評価を行う（継続的）

3）出荷試験のHPLCの結果の年次照査を行い，トレンド分析で有意な差がないことを確認（継続的）

4）HPLCの校正，保守記録を照査し，差がないことを確認（1年以上）

203

ケース5
分析法の移転②

　錠剤を海外のCMOに製造委託することを検討している。この錠剤の溶出性は，原薬の粒度に依存している。委託先は，従来懸濁液剤を主として行っていたため，粒度測定は「湿式，電位差測定」を用いて測定している。委託元は，「乾式レーザー方式測定」で測定している。委託先の粒度測定機の機種，測定原理の異なる条件で，分析法の移転を行うときについて考察する。

(1) 委託元と委託先の差異
　1）測定原理
　2）サンプルの物理的条件
　3）データファイルの蓄積がない
　4）サンプル調整操作

(2) 委託先での顕在リスク
　1）サンプルの粒が湿式条件によって膨潤
　2）サンプルの溶解（一部溶解）
　3）比較データがない（乾式レーザーとの相関がない）
　4）原理が異なる（非球形，球形の真値測定原理）

(3) 委託先での潜在リスク
　1）機能，試験法の理解が十分でない
　2）操作に疎い

(4) 低減が必要なリスク（品質への影響が予見されるリスク）
　1）原理が異なるため真値の判断ができない
　2）粒子形状で，粒度分布の測定結果に差が生じる
　3）単純に結果比較ができない
　4）溶媒の適格性により測定の可否が判定できない
　5）溶媒に溶解するため測定が不可になる
　6）測定時間に差があり，沈降というファクターの考慮が必要

(5) リスク低減策（バリデーション項目，計画）
　1）委託先の粒度計の実績，実施例を調査し，測定可能かを調べる
　2）粒度計の性能相関を測定するため，分析法バリデーションに先立ち，プロセスクオ

リフィケーションとして標準粒を用いて粒度分布の相関を検討

3）測定予定の粉体の測定溶媒との親和性，膨潤性，溶解性を調査

4）委託先の測定者から操作法の教育訓練を受けて操作を理解する

5）代替が不可ならば，委託先の粒度計を使用しないとの判断を行う

（6）リスク低減の合格基準

1）プロセスクオリフィケーションにて，湿式測定が可能であること

2）湿式粒度計とレーザー式粒度計の測定値に相関がある（r = 0.98）

3）測定時間が2倍以上でない

（7）リスク低減のモニター手法，期間

1）分析法移転後，実施されるバリデーションバッチの分析結果を両社で確認し，読み替えた値に差がないことの検証（バリデーション終了まで）

2）年次で代表バッチサンプルを分析し，同等性評価を行う（継続的）

3）原薬受入試験の粒度分布結果の年次照査を行い，トレンド分析で有意な差がないこと，標準粒を用いて有為な相関があることを確認（継続的）

4）委託先の粒度計の校正，保守記録を照査し，差がないことを確認（1年以上）

MEMO

索 引

● 英数字

HVAC ……………………… 96

Major Change ……………… 14

Minor Change ……………… 14

Moderate Change …………… 14

NIR ………………………… 157

PQS ………………………… 11

QbD ………………………… 8

Quality Metrics …………… 36

Restructuring ……………… 5

SUPAC-IR / MR …………… 42

SUPAC-SS ………………… 42

Type IA …………………… 14

Type IB …………………… 14

Type II …………………… 14

● あ行

アセチル化 ………………… 110

アモルファス …………… 115, 131

安全性・品質向上変更

……………… 58, 110, 148, 152, 154, 157

移転先の責任 ……………… 175

移転元の責任 ……………… 174

医薬品品質システム ……… 4, 11

医薬品リスク管理計画書 …… 17

影響調査 …………………… 90

エステラーゼ ……………… 129

● か行

外気温 ……………………… 121

回収溶媒 …………………… 126

改正GMP省令 …………… 21, 193

外的要因変更 …… 58, 135, 144, 159

カプセル剤 ………………… 149

環境負荷 …………………… 123

乾燥終点 …………………… 140

乾燥速度 …………………… 136

管理戦略 …………………… 9

基幹職員 …………………… 194

技術移転要約報告書 ……… 180

技術の授受能力 …………… 187

教育訓練 ……… 61, 137, 148, 153, 158, 160

経営陣の責任 ……………… 5

計画的逸脱 ························ 30	製造装置の変更 ····················· 41
継続的工程確認 ···················· 10	製品品質の照査 ················ 54, 121
軽微な変更 ···· 15, 18, 37, 42, 58, 115, 120, 150	精留法 ······························ 123
結晶形 ······················· 115, 131	選択反応 ···························· 129
原材料等の供給者管理 ············· 121	疎水性溶媒 ························· 124
検出能 ······························· 52	ソフトウェア ······················· 27
構造決定の閾値 ···················· 118	
酵素失活 ···························· 133	**● た行**
酵素生産菌 ························· 132	
工程管理試験記録 ··················· 87	治験薬 ······························ 167
工程内サンプリング ················· 54	中間体 ·············· 37, 85, 106, 116, 127, 168
工程パラメータ ·········· 40, 112, 168, 171, 183	ついでの変更 ························ 16
	定期的なレビュー ···················· 4
● さ行	デザインスペース ····················· 7
	デッドスポット ···················· 138
サルタン系医薬品 ·················· 101	添加剤 ························· 148, 168
シーブトレイ ······················ 124	ドラッグマスターファイル ······· 63, 168
色相 ································ 115	
試験設計および合格基準（例）········ 176	**● な行**
至適温度帯 ····················· 113, 130	
私的要因変更 ············· 58, 116, 123, 141	ニトロソアミン ······················ 98
重篤度 ······························· 51	
重要検査項目 ······················ 153	**● は行**
出発物質 ··············· 37, 87, 168, 174	
錠剤特性 ···························· 146	バイオバーデン ···················· 169
承認事項の遵守 ···················· 21	排水管理 ······················ 115, 134
書面による変更手続き ··············· 30	培養槽 ······························ 159
所有権 ································ 5	発生確率 ····························· 51
水分含量 ···························· 152	バッチ要約報告書 ·················· 183

バリデーション ……… 2, 10, 24, 39, 54, 60, 72, 157, 160, 168, 171, 182

バルク物理特性 …………………… 170

微生物 ……………………………… 132

微生物試験 ………………………… 158

必然的変更 ………… 57, 123, 129, 135, 146

氷酢酸 ……………………………… 110

標準的仕込み量 …………………… 150

品質契約 …………………… 15, 55, 121

品質試験室 ………………… 88, 192

品質リスクマネジメント ……… 3, 12, 54, 165

賦形剤 ……………………… 32, 147, 169

不純物プロファイル
……… 5, 38, 92, 106, 114, 123, 127, 131, 191

沸点 ……………………………… 123

プロセス解析工学 ………………… 54

プロセス開発報告書 ……………… 170

プロセスクオリフィケーション
……………………… 120, 142, 182, 190

分解生成物 ………………… 119, 169

分配係数 …………………… 125, 168

ベリフィケーション ……… 39, 54, 194

変更管理委員会 …………………… 34

変更管理手順書 …………………… 69

変更実施記録書 …………………… 77

変更申請書 ………………………… 76

変更申請の手順 …………………… 60

変更の分類 ………………… 15, 57

変更マネジメントシステム …………… 6

包装工程 …………………… 172, 200

ポートフォリオ …………………… 116

● **ま行**

マスターバリデーションプラン ……… 142, 182

未反応原材料 ……………………… 114

無菌医薬品製造所 ………………… 95

無水酢酸 …………………………… 110

メタノール ………………………… 144

● **や行**

容積効率 …………………… 112, 130

● **ら行**

ライフサイクルマネジメント …………… 10, 43

リスク最小化活動 ………………… 18

リスクベースによる変更管理 …………… 59

リスクマネジメントサイクル …………… 56

リスクレビュー …………………… 4, 56

● **わ行**

ワーキングセルバンク ……………… 88

著者略歴

古澤 久仁彦（ふるざわ くにひこ）

1978年住友化学工業に入社。農薬の創薬，安全性評価・開発登録等に従事。

2004年に三井農林に入社しAPIの製造部門にてFDA対応等を歴任。

2010年からテバ製薬の信頼性保証部門にてGMPコンプライアンス・グローバルGMP監査を担当。

2014年から第一三共の信頼性保証本部にてGMPコンプライアンスを担当。2015年退社。

その後フリーランスのGMPコンサルタントとして活動。

読者アンケートのご案内

本書に関するご意見・ご感想をお聞かせください。
アンケートにご回答いただいた方の中から抽選で毎月30名様に
「図書カード1,000円分」をプレゼントいたします。

左記QRコードもしくは下記URLから
アンケートページにアクセスしてご回答ください
https://form.jiho.jp/questionnaire/55092.html
アンケート受付期間:2025年2月28日23:59まで

※プレゼントの当選発表は賞品の発送をもって代えさせていただきます。
※プレゼントのお届け先は日本国内に限らせていただきます。
※プレゼントは予告なく中止または内容が変更となる場合がございます。
※本アンケートはパソコン・スマートフォン等からのご回答となります。
　まれに機種によってはご回答いただけない場合がございます。
※インターネット接続料及び通信料はご愛読者様のご負担となります。

GMP変更管理・技術移転　第2版
リスクベース評価と申請の考え方

定価　本体8,400円（税別）

2018年 5 月28日　初版発行
2023年 3 月20日　第 2 版発行

著　者　古澤 久仁彦（ふるさわ くにひこ）

発行人　武田 信

発行所　株式会社 じ ほ う
　　　　101-8421　東京都千代田区神田猿楽町1-5-15（猿楽町SSビル）
　　　　振替　00190-0-900481
　　　　＜大阪支局＞
　　　　541-0044　大阪市中央区伏見町2-1-1（三井住友銀行高麗橋ビル）
　　　　お問い合わせ　https://www.jiho.co.jp/contact/

©2023　　　　　　　組版　(株)明昌堂　　印刷　シナノ印刷(株)
Printed in Japan

本書の複写にかかる複製，上映，譲渡，公衆送信（送信可能化を含む）の各権利は
株式会社じほうが管理の委託を受けています。

[JCOPY]＜出版者著作権管理機構 委託出版物＞
本書の無断複製は著作権法上での例外を除き禁じられています。
複製される場合は，そのつど事前に，出版者著作権管理機構（電話 03-5244-5088，
FAX 03-5244-5089，e-mail：info@jcopy.or.jp）の許諾を得てください。

万一落丁，乱丁の場合は，お取替えいたします。
ISBN 978-4-8407-5509-2